D1508080

DERNIER COURRIER
AVANT LA NUIT

014946

SERGE REGGIANI

DERNIER COURRIER
AVANT LA NUIT

921
R334d

BIBLIOTHÈQUE PUBLIQUE
NOTRE-DAME DE L'ILE PERROT

l'Archipel

Un livre présenté par Christophe Barbier.

Si vous souhaitez recevoir notre catalogue
et être tenu au courant de nos publications,
envoyez vos nom et adresse, en citant
ce livre, aux Éditions de l'Archipel,
13, rue Chapon, 75003 Paris.
Et, pour le Canada, à
Édipresse Inc., 945, avenue Beaumont,
Montréal, Québec, H3N 1W3.

ISBN 2-909-241-99-8

Copyright © L'Archipel, 1995.

Il est des êtres si proches qu'on n'imagine pas leur écrire, comme si les lettres étaient réservées aux absents. On ne songe pas à leur dire combien on les admire ou combien on les aime. Un jour, il est trop tard...

Toute ma vie, j'ai croisé des artistes d'exception. Toute ma vie, je me suis entouré d'êtres chers. Les premiers ont presque tous disparu, certains des seconds se sont éloignés. À ces fantômes et à ces ombres, j'ai voulu écrire un dernier mot, en guise de post-scriptum à une amitié, une paternité, une admiration, un amour...

Aujourd'hui, je reprends la plume. J'achève mon courrier en retard. Je sais : mes correspondants n'habitent plus à l'adresse indiquée. Beaucoup vivent désormais dans ce village où nul facteur ne passe jamais. Peu importe. Je leur écris, et, s'ils pouvaient soudain lire ce courrier, je veux croire qu'ils se reconnaîtraient, qu'ils me reconnaîtraient.

Ami lecteur, mon semblable, mon frère, voici mon dernier courrier avant la nuit. La levée sera bientôt faite. Il me faut vite glisser mon paquet d'enveloppes dans la boîte en n'oubliant pas d'y apposer la mention « urgent ».

Je dois avoir fini avant ce soir. Quand le jour décline, je troque volontiers mon stylo pour un pinceau. J'ai besoin pour écrire de sentir la vie bruire autour de moi, d'entendre la ruche humaine bourdonner. Tout comme j'aime, lorsque je sors mon chevalet, sentir la nuit chuchoter, deviner l'écho assourdi des derniers bruits du jour...

Voici mon dernier courrier avant la nuit. Mais ces lettres n'appellent pas de réponse. Elles sont autant de messages glissés dans une bouteille promise à la mer. Les flots les porteront où ils voudront.

Ce dernier courrier, je ne voulais pas le poster sans t'écrire cette lettre, à toi, mon cher lecteur. Spectateur anonyme de mes récitals, tu m'applaudis dans la pénombre. Je ne te remercierai jamais assez. Tu es celui qui écoute mes disques sans que j'en sache rien. Tu es celui qui est entré par hasard dans une bien vieille demeure, pour y découvrir un paquet de lettres enrubannées...

Coupe le ruban. Décachette les lettres. Elles sont à toi.

S. R.

Aux frères Prévert

Cher Jacques, cher Pierrot,
Cher Pierrot, cher Jacques,

Si je ne sais auquel de vous deux m'adresser en premier, c'est que j'ignore celui que je préfère. Je vous aime tous les deux, ensemble, inséparables, en bloc. On ne sépare pas plus les frères Lumière, les frères Montgolfier que les frères Prévert. J'aime Jacques-Pierre Prévert.

Jacques... Cyrano lui-même t'aurait gratifié d'un « Quel panache ! » Tu étais toujours vêtu impeccablement, la fleur à la boutonnière et le bon mot aux lèvres. Car ta vie, c'était ça, chercher toujours le mot qui fait rire, celui qui interloque, celui qu'on n'attend pas. « Albert Camus a écrit *l'Étranger* et ensuite il s'est fait naturaliser », as-tu osé dire un jour. Voilà l'un de tes mots, assez méchant celui-là. Pourtant, au fond, tu étais, comme Sartre ou comme Camus lui-même, la générosité même.

Quand une idée te passait par la tête, tu la couchais immédiatement sur le premier papier venu : un quelconque bout de feuille, un coin de nappe, un morceau de journal. Brefs textes qui t'amusaient, bons mots attrapés au vol, piques et pointes jaillies de ton esprit. Tu n'avais pas la moindre intention de publier ces «petits machins-là», comme tu les appelais avec une drôle de moue autour de ta cigarette. Heureusement que les copains n'étaient pas de cet avis. Patiemment, discrètement, ils ont récupéré ces petits papiers, et, sans que tu en saches rien, éditeurs clandestins, ils les ont publiés. De ces bouts de papier muets est né *Paroles*, et ces «petits machins-là» ont produit un chef-d'œuvre. Ensuite, c'est délibérément que tu as écrit *Histoires*, avec André Verdet. Je dis délibérément, mais aujourd'hui encore je me demande si tu n'as pas voulu rendre service à Verdet, qui en avait bien besoin, malgré son talent... À force de jouer avec les mots, Jacques, ils se sont joués de toi, et, sans t'en rendre vraiment compte, tu es devenu poète.

Le mot, mon très cher Jacques, était presque ta raison de vivre. J'en ai la preuve.

Un jour, tu passais dans une station de radio sise au-dessus du cinéma le Normandie, au premier étage d'un immeuble des Champs-Élysées, en plein VIIIe arrondissement. Les fenêtres du studio s'ouvraient diaboliquement vers l'extérieur, au dessus de la rue. T'appuyant aux carreaux, tu basculas dans le vide et tombas sur la tête, comme pour donner raison au titre d'une de mes chansons, *E pericoloso sporgersi*. Mais ta mésaventure parut tourner au tragique. Tu fus porté à l'hôpital dans un coma profond, avec une fracture du crâne. Pierrot te veilla jour et nuit. Tu récupéras lentement. Enfin, après vingt jours de coma, tu ouvris un œil. Et ta première phrase de ressuscité fut: «Je voudrais savoir si je suis tombé du premier dans le huitième ou du huitième dans le premier... » Le mot, toujours le mot, le mot pour rire ! Si je ne tenais pas l'histoire de Pierrot en personne, je ne pourrais la croire.

Miraculé ou pas, tu étais, mon cher Jacques, athée comme je le suis moi-même : profondément. Pour montrer qu'il n'y avait pas de doute là-dessus, tu épelais : « A comme athée, T comme totalement athée, H comme hermétiquement athée, É comme énormément athée, E comme Entièrement athée. » Dieu, la mort, la vie, rien n'échappait à ta folie des bons mots. Tu en étais affamé, boulimique, enragé. Faire de l'esprit était plus qu'une gymnastique pour toi, c'était une drogue.

À la Colombe d'Or de Saint-Paul-de-Vence, quand les beaux jours revenaient – et que nous étions tous deux des athées pas mal éméchés –, nous passions nos soirées à lancer des pétards et des boules puantes sous les tables voisines. Titine – la merveilleuse Titine –, Yvonne et Francis, les patrons, étaient ravis du chahut. Et quand il n'y avait plus personne, que le bruit et la puanteur avaient fait fuir les derniers convives, tu allais te rafraîchir en plongeant tout habillé dans la vasque de l'entrée. Te souviens-tu de ces folles soirées ? Je repense à ces gamineries – et à nos cuites... – lorsque je chante ton célèbre texte :

> *Il ne faut pas*
> *Il ne faut pas laisser les intellectuels jouer avec*
> *[les allumettes.*
> *Parce que, Messieurs, quand on le laisse seul*
> *(...)*
> *Le monde mental ment*
> *Monumentalement.*

Succès garanti pour ton texte! Comme tu peux le constater de là où tu es, je n'ai pas un public d'intellectuels: c'est toujours ça de gagné... Nos pétards et nos boules puantes ont triomphé, je n'ai plus besoin d'en lancer. C'est heureux, car je n'aurais pas le cœur à le faire sans toi.

Comme l'on ne vit pas plus de bons mots que d'amour et d'eau fraîche, tu ajoutais des mots aux bons mots, tu les mettais en phrases, et cela donnait des scénarios et des dialogues de films. Pour *les Portes de la nuit*, tu n'avais – déjà – pas prévu d'engager des intellectuels: tu voulais Jean Gabin et Marlène pour les rôles principaux. Moi, je jouais un sale collaborateur. Marcel Carné, apprenant que ni Gabin ni Marlène ne souhaitaient s'engager, m'envoya à l'hôtel Claridge, où ils demeuraient le temps d'un tournage. Marlène portait encore l'uniforme américain de « Wack », et Gabin celui de la Marine. Je fis des pieds et des mains pour les persuader de passer par *les Portes de la nuit*, mais en vain, et revins au studio bredouille. Yves Montand, à peine arrivé de Marseille où, déjà, il chantait des poèmes de toi, fut engagé à la place de Gabin. Son accent marseillais était irrésistible, mais somme toute assez déplacé. Il a perdu plus tard cette gouaille pour devenir un excellent acteur. Quant à l'actrice qui remplaça Marlène, je ne me rappelle même pas son nom. Je sais seulement qu'elle vendait des babioles au marché aux puces...

Une dont je n'ai pas oublié le nom, c'est Noëlle Adam. Et pour cause... À l'époque de *Rendez-vous manqué*, écrit sur une idée de Françoise Sagan, Noëlle t'avait ému autant que moi. À la fin de la soirée, j'accompagnai Jean Cocteau et Jean Marais, qui tenaient à la féliciter. Moi, je n'ai pas osé... Toi, Jacques, tu as décidé d'écrire un ballet pour elle... Mais peu de temps après cet énorme succès, Noëlle est partie aux États-Unis, où elle est restée quinze ans. Et pendant quinze ans, je l'ai attendue. Son succès là-bas fut immense : elle dansait avec Fred Astaire et Gene Kelly, et c'est elle qui découvrit Barbra Streisand dans le Keith Brussel Show... Puis, comme le dit une de mes chansons, «elle revint voir Esmeralda, le soir, danser avec la Seine». Elle est ma compagne depuis vingt-cinq années déjà. Nous nous aimons comme au premier jour. Quelle chance. Quelle chance. Quelle chance...

*

De la chance, cher Pierre, cher Pierrot, je me souviens que tu n'en eus pas en tournant *L'affaire est dans le sac*. Un copain déguisé en flic – pèlerine, képi, bâton blanc et toute la panoplie – devait sortir de chez lui en disant : «Il pleut.» Inutile de répéter une réplique aussi anodine, pensais-tu. Pourtant, la scène a tourné au cauchemar tragicomique.

Première prise. Le flic sort, lève la tête et dit :

– Qu'est-ce qu'il tombe !

Tu cries :

– Coupez ! Tu sors et tu dis seulement : «Il pleut» !

– Ah ! oui.

Seconde prise. Le flic sort et lâche :

– Il tombe des hallebardes...

– Coupez, nom de Dieu ! «IL PLEUT» ! Tu dis simplement : «Il pleut» !

13

Moteur. Clap. Partez. Et le flic, derechef :
– C'est le déluge...
– Merde ! Coupez !

Le pauvre flic n'a jamais pu dire : « Il pleut. » En revanche, il en avait encore des dizaines d'autres à son répertoire ! À la dernière prise, il a dit : « Oh là là, oh là là, oh là là, oh là là... ». Comme dans ton film, Pierrot. Si vous ne me croyez pas, allez voir à la cinémathèque.

Cher Jacques, cher Pierrot, cher Pierrot, cher Jacques, j'ai écrit huit chansons il y a quelque temps. Claude Lemesle, mon parolier préféré qui les a arrangées en couplets et refrain, m'a dit qu'elles lui faisaient étrangement penser à Prévert. Un sacré compliment... Pour avoir été votre ami, les mots seraient-ils plus dociles avec moi ?

Salut Jacques, adieu Pierrot, salut Pierrot, adieu Jacques. Vous aviez une adorable manie, celle de dire à tous ceux que vous croisiez, même les plus laids, qu'ils étaient beaux. Eh bien ! à mon tour. Jacques, Pierrot, Pierrot, Jacques... vous êtes beaux. Tous les deux.

Serge

À Letizia

Carissima bella,

Dans mon premier livre [1], l'Africain poète qui m'a aidé à écrire a transformé ton nom sans le vouloir. Confondant la mère de Napoléon avec la mienne, il t'a baptisée Laetitia. Mais – j'y tiens beaucoup – l'orthographe exacte de ton prénom, c'est LETIZIA. Lorsque je me suis aperçu de l'erreur, il était trop tard, le livre était déjà à l'imprimerie. Pardon, Maman, pour cette coquille. J'ignore le sens de «Laetitia», mais je sais que *letizia*, en italien, veut dire «liesse», c'est-à-dire «joie».

Il y a trois ans, j'ai interprété une chanson qui porte ton nom:

> *Dans les yeux de l'Émilienne*
> *Une valse en mal de Vienne*
> *Le dégoût des barbelés*
> *Du monde écartelé*
> *Des voix mussoliniennes...*

1. *La question se pose*, avec la collaboration de Blaise N'Djehoya et Simon Reggiani, Robert Laffont, 1990.

Dans les yeux de l'Émilienne,
Des bleus tendres se souviennent
D'un premier frisson bâclé
De la maison sans clé
Des rêves qui s'aliènent...

Je ne sais pourquoi, les habitants de Reggio Emilia ont pris l'habitude de t'appeler Corinna. Sans doute était-ce plus simple pour eux, puisqu'il y a dans cette région une quantité invraisemblable de Corinna. En France, j'ai connu très peu de Corinne. Je me souviens toutefois de Corinne Luchaire, qui eut de graves ennuis à la Libération. Je l'avais connue en faisant de la figuration, bien avant la guerre, dans un film intitulé *Conflits*. J'étais habillé en Saint-Cyrien alors que je n'avais pas seize ans. J'avais écouté attentivement le dialogue entre Corinne Luchaire et Claude Dauphin, que je devais retrouver plus tard dans *Casque d'or* et *les Séquestrés d'Altona*.

Mais revenons, carissima bellissima, à ton passé de «liesse». Tu parles d'une joie ! Je possède de nombreuses photographies de toi et de Ferrucio, mon père. Force est de constater que, sur ces clichés, il n'y a que lui de joyeux. Tes lèvres sont pincées et ton regard est dur, très dur. Sans doute faut-il y voir la preuve d'une grande pudeur face au photographe. Sans doute aussi est-ce le reflet de la société d'antan : les Émiliennes n'étaient pas sur terre pour sourire à pleines dents. Mais il y a autre chose : je sais que ton enfance et ton adolescence n'ont pas été douces. Issue d'une famille très pauvre, il t'a fallu travailler dès l'âge de sept ans. Tu gardais les enfants, d'insupportables bébés de riches, à l'âge où les fillettes d'aujourd'hui apprennent paisiblement à lire et jouent à la poupée. À onze ans, tu n'es pas entrée au collège, mais à l'usine, dans une fabrique de soieries qui s'appelait la Filassa. Et, jusque dans tes vieux jours, tu m'as parlé du plaisir que tu éprouvais à caresser en travaillant ces soieries magnifiques, que tu ne pensais pas pouvoir t'offrir un jour. T'ai-je rapporté cet autre souvenir ? Ma fille Célia – ta petite-fille – et moi rendions visite à Arletty, à Belle-Île, où, devenue aveugle, elle goûtait un peu de la douceur maritime et berçait sa vieillesse au rythme des vagues. Arletty s'est approchée de Célia et lui a caressé la tête en disant : «Quels beaux cheveux soyeux tu as, Célia, quels beaux cheveux soyeux tu as !» Ce n'était pas les cheveux de Célia que caressait Arletty, mais le foulard que ma fille portait pour se protéger de la brise... Nous avons eu un regard complice. Nous ne voulions pas la détromper.

Bella carissima, lorsque tu as eu quinze ans, à l'âge où les petites filles d'aujourd'hui flirtent au lycée, tu as eu le courage de t'installer, seule, dans un petit salon de coiffure pour hommes, alors que tu n'avais jamais touché une tondeuse de ta vie. C'est là que Ferrucio, un jour, t'a vue à l'œuvre, ciseaux en main, petit monstre de coiffeuse pour hommes. Et sa curiosité fit place à l'amour. Tu lui as bien vite passé la bague au doigt. Ce devait être en 1921, puisque je suis né en 1922...

> *Il est beau et tu es belle,*
> *Tous les deux un peu rebelles.*
> *En mille neuf cent vingt et un,*
> *Qui sait ce qu'il advint*

De vos amours nouvelles ?
Tu caresses la soie douce
Et ce sont des draps qui poussent
Entre vos dix doigts mêlés,
Des nuits échevelées
D'où va jaillir ma source...

Vous vous promeniez la main dans la main à travers les rues de Reggio. Ferrucio-la-Bravade-aux-pieds-plats était très fier de sa conquête. Tu suivais le mouvement en trottinant à son bras. Mon futur père, le menton en galoche, mais rasé de près, s'était débrouillé pour se faire réformer, grâce à une vieille astuce de famille. Il avait fumé en douce des cigares trempés longuement dans l'huile de ricin, qui accélèrent anormalement le rythme cardiaque. Tout exercice devenait impossible...

Dans ma petite enfance italienne, je dormais dans la même pièce que vous, le minuscule salon de notre modeste maison, et jamais je ne vous ai entendus faire l'amour. J'avais alors cinq ou six ans : à cet âge, on n'a plus le sommeil d'un nourrisson. Ni l'innocence... Peut-être refusais-je de vous entendre ? J'ai su plus tard, de ta propre bouche, que tu n'appréciais guère la chose. Et comment en aurait-il été autrement ? Ferrucio dînait très copieusement à la maison, via Migliorati, puis sortait avec ses copains faire un autre dîner tout aussi copieux en ville, avant de jouer aux boules ou au poker. Il rentrait à quatre heures du matin et te réveillait brutalement pour satisfaire ses désirs. Comment ne te comprendrais-je pas ?

Ces assauts sans tendresse ont néanmoins porté leurs fruits, puisque je suis né, précédant de

18

quelques années mon frère Luciano, venu au monde par une froide nuit d'hiver. Il a quitté ce monde par une semblable nuit du même hiver, vingt jours plus tard à peine. Qui avait ouvert la fenêtre par une nuit glacée ? Luciano succomba à une pneumonie. Toi, Maman, tu m'as raconté tant et tant de versions de ce drame que j'ignore encore aujourd'hui la vérité. Dans ma mémoire d'enfant, je me suis accusé d'avoir tué mon frère. Je me revoyais en liquette, me levant la nuit pour tourner l'espagnolette, et je sens encore l'air glacé me couler sur les épaules en rentrant dans la chambre... Ce n'est pas le seul mauvais tour que m'ait joué ma mémoire. Ainsi, je revois nettement mon père emporter sur l'épaule le petit cercueil tout capitonné de satin blanc et se diriger vers le cimetière. Pourtant, tu m'as bien répété que ce sont les Pompes funèbres de Reggio qui s'en sont chargées. Et pourtant... Je sais bien que la mort d'un nourrisson était chose courante à l'époque, mais celle de Luciano demeure une tragédie, une fêlure dans ma vie d'enfant. Je ne crois pas au paradis ni au bric-à-brac de l'au-delà, mais s'il y a un ailleurs après la mort, peut-être y croiserai-je mon petit frère. Je le prendrai alors entre mes vieux bras, comme un aïeul ferait du dernier reje-ton de sa lignée, et je le bercerai paisiblement, essayant de réchauffer son petit corps glacé.

Quand je pense à toi, bellissima Mamma, des milliers de souvenirs heureux me traversent l'esprit. Je refais la balade à la Pietra di Bismantova, ce gros caillou tombé du ciel. Tu m'as appris à cueillir les noisettes, à dénicher les bons arbustes, à distin-guer les coques creuses de celles qui recèlent l'amande douce-amère. Je reprends la pose pour ces cocasses séances de photographie : tu m'avais affublé d'un déguisement de clochard, avec chapeau, pipe et loques diverses, puis tu m'avais revêtu de ma tenue du dimanche, col Claudine et poignets bien blancs, blouse de velours noir, souliers vernis, cheveux abondamment gominés séparés par une raie de côté.

Dans les yeux de toi, ma mère
Un parfum d'orange amère
Mais l'amour et la bonté
Qu'on n'a jamais comptés,
La joie solide et fière
D'exister.

Je pourrais encore parler de ces lions de granit sur la place du marché de Reggio Emilia, que je chevauchais pour de folles épopées, sous ta surveillance. Je pourrais te raconter ma grande brûlure au bras, un soir d'hiver, et la folle cavalcade dans tes bras jusqu'au cabinet du médecin. Tu pourrais, toi, me raconter la culotte douteuse de ma cousine Iarca, que je voulais flanquer par la fenêtre tant elle me dégoûtait (la culotte, pas ma cousine !). Et moi, je pourrais t'avouer ma première aventure sexuelle. J'avais trois ans ! C'était une petite fille, en bas de la rue Poudreuse. Elle faisait du tricycle... et ne portait pas de culotte !

Ridicules ou émouvants, mis bout à bout comme les perles d'un collier, tous ces petits événements font une enfance, mon enfance. Et, entre toutes ces perles, l'une me revient sans cesse, celle de ton visage doux et sévère à la fois, ton visage immuable qui traverse les années, puisque, c'est bien connu, une mère ne vieillit jamais.

Comme beaucoup d'Émiliennes, tu chantais superbement, d'une voix douce et chaude. Grâce à toi, j'ai appris tout petit l'essentiel des grands airs d'opéra. Tu les fredonnais indéfiniment en faisant la cuisine ou le ménage. Tu as formé, par ce concert permanent, mon oreille d'enfant. Sans cela, je n'aurais peut-être pas réussi ma carrière de chanteur. «Les Italiens ont la musique dans le sang», disait-on en découvrant que j'étais doué pour la chanson. Dans le sang, oui, mais surtout dans la tête, grâce à Puccini, Verdi et autres compositeurs du récital infini et unique de Letizia Reggiani. L'une de mes chansons, *le Barbier de Belleville*, peint le salon de coiffure et la cuisine où tu chantais :

Je suis le roi du ciseau,
De la barbiche en biseau,
Je suis le barbier de Bell'ville !
Des petits poils jusqu'aux cheveux,
Je fais vraiment ce que je veux.
J'ai toujours été hanté
Par le désir de chanter
Manon, Carmen ou Corneville.
Alors, avouez que c'est râlant
D'avoir la vocation sans le talent.

Je n'ai pas de voix,
J'essaie quelquefois,
Mais ça ne vient pas...
Je n'suis pas doué pour l'opéra.

C'est parce que j'ai entendu ta voix très pure que je suis aujourd'hui très sévère avec Luciano

Pavarotti. Je préfère de loin Placido Domingo, l'Espagnol, qui ne se permet aucune fioriture, pas la moindre «portature». À Reggio Emilia, dans le théâtre municipal de la grande époque, redouté par les artistes lyriques de la péninsule, Pavarotti aurait été sifflé. Dans ta cuisine, il t'aurait écoutée et aurait pris des notes, carissima bella, ma reine du bel canto.

Chaque fois que je t'ai eue au téléphone, même à quatre-vingt-dix ans passés, j'ai toujours pensé, en t'écoutant dans le combiné, à ta merveilleuse voix. *Aïda*, *Carmen* et l'*Ave Maria* de Gounod étaient tes airs préférés. Carine, ma plus grande fille, a hérité de ta voix, et ne se prive pas de nous en faire profiter. Quand je t'ai raconté cela, tu m'as répondu avec l'orgueil des Émiliennes: «Ah! Carine est donc bien une vraie Spagni.» Spagni, c'est ton nom de jeune fille, le nom de tous ceux qui figuraient, hautains et dignes, sur le grand tableau que je revois nettement, avec ton père en haut à droite, et cet autre Spagni qui fut anobli par le pape de l'époque... Ce tableau, mon fils Simon affirme en avoir retrouvé la trace dans les archives de Reggio... Eh non! Maman, Carine est une Reggiani, et ça n'empêche pas de chanter juste. Du moins, je l'espère...

Tu es restée fort croyante, en dépit de tes pérégrinations dans ce siècle païen et malgré le voisinage d'un fils aîné totalement agnostique – moi. Tu es restée croyante, mais tu n'aimais pas beaucoup les curés, et en cela nous sommes bien d'accord. Quand nous étions très pauvres, nous habitions la maison du bedeau de l'église San Prospero. Le prêtre de la paroisse, Don Mammoli, s'amusait follement à me faire lancer un déluge de cailloux sur une pauvre tortue qui ne demandait qu'à se balader tranquillement dans la cour du presbytère. Peut-on imaginer plus de cruauté gratuite ?

Je veux, carissima bellissima, terminer cette lettre sur le plus doux des souvenirs de mon enfance : ces moments où tu m'offrais un verre de rafraîchissante *acqua d'orzo*, l'eau de réglisse. Je la sens encore couler dans ma gorge et apaiser ma soif après une journée de chahut dans la poussière de l'été émilien. C'était dans notre cuisine et tu confectionnais pendant ce temps les *tortelli d'erba*, les *capelletti* – les tagliatelles – ou les raviolis pour le repas du soir. À moins que tu ne fusses en train de préparer la merveille des merveilles, la *zuppa inglese*, dont je ne suis pas près, même sous la torture, d'avouer la recette...

> *Si tu me berces*
> *Après l'averse,*
> *Si tu me verses bien*
> *L'alcool étrange*
> *Qui fait d'un ange*
> *Un pur mélange humain,*
> *Je t'appelle encor' Letizia,*
> *Tu travailles à la Filassa,*
> *Et sur la via Farina*
> *Ton fils renaît tous les matins,*
> *Si tu me berces bien.*

Maman, j'aimerais tant te voir sortir de la cuisine, les mains pleines de farine que tu essuierais sur ton tablier pour venir jeter un coup d'œil sur les lignes que j'écris. Mais il est trop tard, et *l'acqua d'orzo* n'est plus qu'un souvenir. C'est l'eau de mon enfance que j'ai bue trop vite, goulûment, pour étancher une soif de vivre qui jamais ne s'est calmée. C'est l'eau de mon enfance que j'ai bue trop vite. Trop vite.

Ton fils Sergio

C'est moi, c'est l'Italien.
Est-ce qu'il y a quelqu'un,
Est-ce qu'il y a quelqu'une ?
(...)

Ouvre-moi, ouvre-moi la porte...

L'Italien est peut-être la plus célèbre de mes chansons, et cette femme à qui je m'adresse, cette femme dont j'attends le pardon et qui, sans doute, n'est plus là, c'est peut-être l'Italie elle-même.

En Italie, on inscrivait sur les pochettes de mes disques : « *Il Francese* »... Pourtant, mon sang est italien, ma voix est italienne, et, si ma vie est française, mon cœur bat un coup sur deux en Italie. Après quelques années en France, mes parents m'ont inscrit dans une école spécialisée pour me faire réapprendre l'italien, que j'oubliais rapidement. Depuis, j'ai toujours pris soin de maintenir en vie cette langue maternelle. Italien je suis, Français je reste. Dans une autre chanson, *J'suis pas chauvin*, j'ai adressé un clin d'œil à tous les Français en leur rappelant que c'est mon ancêtre Reggianus qui a gagné la bataille d'Alésia...

Lorsque je pense à toi, Italie, c'est Rome qui me vient avant tout à l'esprit, et non pas Reggio Emilia, ma ville natale. Rome, sans aucun doute la plus belle ville que je connaisse... avec Paris.

Je revois la via Sistina, qui grimpe et qui descend, si étroite, où les chauffeurs de taxis s'apostrophent et s'affrontent sans cesse. C'est un récital permanent, un concert de klaxons en guise de musique et des ribambelles d'injures à défier l'imagination en guise de paroles. Le seul rideau qui tombe sur cette scène improvisée est celui de la nuit. Il faut un certain temps pour s'habituer à ces extravagances, mais on finit par y prendre goût. Au milieu se dresse l'Hôtel de la Ville, curieusement baptisé de son nom français. Il ne s'agit pas d'une mairie, mais d'un établissement où les repas sont remarquables et les chambres charmantes. Deux ascenseurs desservent les étages, mais le connaisseur en emprunte un troisième, dissimulé un peu plus loin, à droite dans le couloir d'entrée. C'est le seul qui donne accès au dernier étage, où une vaste terrasse permet de découvrir Rome dans un saisissant panorama. Michel Auclair et moi avons vécu d'inoubliables agapes en ces lieux où le Tout-Rome artistique était convié. La grande vie et... une addition à la mesure de l'établissement.

Je revois la via dei Condotti, avec ses boutiques de luxe, et, nichée au cœur du quartier, la *caffeteria* où j'ai passé des heures à déguster un nectar d'expresso qui fait courir tout le pays. Un peu plus loin, depuis les jardins de la Trinita dei Monti, le passant découvre la via qui mène à la Piazza del Popolo, presque aussi grande que la Concorde. Ici encore, arrêt gastronomique obligatoire, quatre fourchettes dans le guide Reggiani : Il Bolognese. Quand on est né en Émilie, comment résister à la cuisine du Bolognese ? J'y ai réjoui plus d'une fois mon estomac. Un jour, le frère de Federico Fellini, Marco, est entré dans la salle du Bolognese alors que je festoyais avec un grand nombre d'amis. Il s'est dirigé vers moi pour me demander ce que je pensais du dernier film de Federico, *Otto e Mezzo*. Évidemment, toute l'Europe du cinéma ne parlait que de *Huit et demi*. Pour blaguer, j'ai répondu à Marco : «Mais de qui parles-tu ?» Interloqué, Marco a répondu : «Mais de mon frère Federico, celui qui vient de sortir le film *Otto e Mezzo* !» Ouvrant de grands yeux, je lui ai retourné avec le plus grand sérieux : «Mais j'ignorais que tu avais un frère...» Marco, bouche bée, est allé s'attabler devant une grande assiette de spaghettis. Il nous jetait de temps à autre un étrange regard, demeurant le reste du temps les yeux au plafond. Je crois bien qu'il m'avait pris au sérieux, et qu'il était tout épaté d'être, pour une fois, plus célèbre que son frère. Je suis certain que ce fut là un très bel instant de sa vie, et j'y songe encore souvent, incapable de regretter ce pieux mensonge.

Marco Fellini était si touchant... Il espérait toujours monter ses courts métrages, mais ne pouvait rivaliser avec Federico. Un jour, je croisai ce dernier via Venetto – les Champs-Élysées romains. Je sortais d'un café où il était lui-même attablé. Il m'a hélé : «Reggiani ! Pourquoi tu ne me salues jamais ?» Je lui ai répondu sans même m'arrêter : «Et toi ? Pourquoi ?»

Rome encore, la ville aux mille et une déambulations, la ville où se perdre est un bonheur et mourir un honneur. Je suis le guide boiteux de ma mémoire : nous voilà dans le quartier de Trastevere, littéralement : « Au-delà du Tibre », avec son insolite monument composé de deux statues, œuvres de deux sculpteurs différents, ennemis acharnés, dont le seul dessein fut de ridiculiser l'autre : chacun de leurs personnages se voile les yeux en signe d'horreur à la vue du voisin !

Rome toujours... Comment oublier la via Appia Antica, avec ses pins parasols et ses grandes dalles de roche où l'on touche encore les traces des chars romains. Combien d'hommes ont foulé ces dalles depuis qu'un groupe d'esclaves barbares les a posées pour témoigner de la grandeur de Rome et laisser passer les puissants Césars ? Il reste aujourd'hui de tous ces passants, des esclaves et des Césars, la même poussière. Enfin, détour obligé par les ruines majestueuses, Caracalla et Ostia. À Rome, ce qui est se grandit de ce qui a été, ce qui sera se nourrit de ce qui est.

L'envie me vient de quitter Rome pour aller embrasser une autre Italie. Florence est belle, mais trop austère pour moi. Je préfère filer plein sud vers la Sicile et Taormina, où Noëlle ma compagne retrouvera son copain à la grande gueule et aux coups de colère mémorables : l'Etna... Quand il devient rouge de rage, il est terrifiant. Je me souviens d'avoir assisté à l'une de ses éruptions. Noëlle et moi demeurions ébahis face à ce spectacle. C'est peut-être l'endroit où l'on voit du plus près la beauté du diable. Un diable qui condamne au bûcher des maisons, des villages entiers. Rien n'arrête le Malin quand il a rendu ses arrêts, aucune amnistie, aucune grâce.

À Taormina, près de Palerme, il n'est qu'un seul moyen d'éteindre l'incendie du volcan : boire à grandes rasades le vin blanc local, fin et léger, qui vaut bien celui de Nogent, même s'il n'y a pas de guinguette. Le petit vin de Taormina ressemble en réalité à de l'eau minérale, mais une sieste s'impose après le déjeuner, en attendant le dîner, arrosé de vin rouge, tandis qu'un orchestre de mandolines et de guitares pousse la sérénade autour des tables. Désormais, je suis à l'eau, rien qu'à l'eau. De l'eau pure, non du vin blanc déguisé...

Je quitte la Sicile, son volcan et ses vins pour remonter les Appenins et m'arrêter dans les Dolomites. Me voilà en train de skier avec Michel Auclair. Michel skie très bien, moi très mal. Il termine la journée en pleine forme, je l'achève à l'hôpital, avec une fracture du péroné. Est-ce avec ce plâtre sur la jambe gauche que j'ai joué *Casque d'Or* ? Sans doute, puisque je ne me suis cassé qu'une seule fois la jambe dans ma vie, pourtant fournie en chutes et en accidents. Ces Dolomites-là datent donc de 1951... Elles, au moins, ne doivent pas avoir changé depuis. Un proverbe indien dit : « Seules les montagnes ne meurent jamais. »

Descendons des montagnes et remontons encore le temps. Nous voilà dans mon Émilie natale, nous voilà dans Reggio Emilia, où j'ai vu le jour le deux mai de l'an de grâce mille neuf cent vingt-deux. Reggio Emilia, une ville en noir et blanc comme les films du réalisme italien, comme les mémoires tronquées et les visions hoquetantes du lointain passé, comme l'affrontement des fascistes et des démocrates.

Je me rappelle un nommé Todi, qui se faisait passer pour fou et allait Piazza d'Armi – place d'Armes – insulter les fascistes attablés aux terrasses des bistrots, agrémentant ses invectives de bras d'honneur en rafale. Ils riaient de ce spectacle, les abominables, et ne répondaient pas, mais Todi insistait. Un jour, excédés, plusieurs d'entre eux se sont levés et l'ont poursuivi à travers les rues de la ville. Todi les a attirés vers la périphérie de Reggio Emilia et s'est jeté derrière un muret, au milieu d'une maison en ruine. Poussant quelques briques, il a dévoilé une mitraillette. Lorsque ses poursuivants se sont approchés, il a bondi et les a tous abattus. Je ne sais s'il a été par la suite arrêté et envoyé au « bagne de feu » de Lipari, ou s'il a pu s'enfuir et continuer ailleurs son courageux combat. Peut-être a-t-il croisé, dans les rangs antifascistes, un autre fils de Reggio Emilia, Gogliardo Sassi, coiffeur de son état, qui n'a jamais eu à jouer les fous pour masquer ses opinions. Pour l'obliger à sortir de sa planque et à se rendre, les fascistes ont arrêté sa vieille mère et l'ont emmenée dans le Crostolo, un canal asséché où toute la ville déversait des ordures. Là, ils ont forcé la vieille à manger des excréments. Elle en est morte le soir même, mais Gogliardo Sassi ne s'est pas rendu. Il a continué sa lutte et s'est plus tard engagé dans les Brigades internationales pour aller combattre les franquistes en Espagne. C'est à Barcelone qu'il est mort pour ses idées.

Dans mes souvenirs en noir et blanc, je vois également des gamins courant dans les rues en quête de bêtises. Nous allions souvent près du Crostolo, ce cloaque qui jouxtait un asile de fous. Toute la journée, les hurlements des aliénés nous donnaient la chair de poule. Ramassant la boue du chemin, nous modelions de petites assiettes, que nous lancions contre le mur de l'asile après avoir craché dedans. Elles éclataient dans un fracas assourdissant et nous nous sauvions en courant. C'était le jeu des *mortaletti*.

Je suis allé à l'école dès l'âge de six ans, comme tous les autres enfants de Reggio Emilia. Un jour, mon institutrice, la Signorina d'Allolio, une blonde enchignonnée, me remit un carton à chaussures à l'attention de mes parents. Arrivé à la maison, je tendis la boîte à mon père. Il en extirpa un uniforme de Ballila, les Jeunesses Fascistes italiennes, accompagné... d'une facture. Mon père, furieux, m'ordonna de rendre la boîte à la Signorina d'Allolio, qui ne fut pas longue à comprendre. Elle me demanda quand même de garder l'uniforme, à mon grand ravissement, car – était-ce déjà la vocation du comédien? – j'adorais me déguiser. Ma garde-robe venait de s'enrichir d'une nouvelle tenue. Le dimanche suivant, j'étais censé défiler avec cet uniforme sur le dos, un bonnet ridicule sur la tête et une imitation de fusil à l'épaule. Mon père, déjà dans le collimateur des brigades mussoliniennes, piqua une nouvelle fureur. Je fus dispensé de défilé...

Combien de fois ai-je entendu, après la guerre, des Français s'étonner, voire s'épouvanter, du châtiment que les Partisans italiens avaient infligé à Benito Mussolini et à sa maîtresse, Claretta Petacci: pendus par les pieds à un crochet de boucher. Ces âmes sensibles oubliaient que le tyran et sa compagne avaient été fusillés avant. Ils oubliaient aussi combien de pauvres gens ont été tués et torturés au nom du fascisme pendant plus de vingt ans.

31

L'un de mes oncles se pavanait des heures entières dans les rues en uniforme *fascio*. Il était la honte de la famille. À la fin de la guerre, les Partisans lui ont fait creuser sa tombe avant de lui tirer une balle dans la nuque et de le jeter dans son trou.

À l'âge de trente-cinq ans, je suis revenu te voir. Tu étais enfin débarrassée du fascisme. J'ai donné, à Reggio Emilia, une longue conférence sur la liberté en France, sur le théâtre et l'art lyrique français, dans ce théâtre municipal où, à l'époque, toute carrière lyrique se faisait ou se défaisait en Italie. Le public y passait pour l'un des plus terribles de la péninsule : une seule fausse note, une seule tentative d'enjoliver la partition, et, aussi fin connaisseur que juge impitoyable, il couvrait de huées la voix du chanteur.

Je suis retourné une nouvelle fois dans ma ville natale avec Noëlle et mon fils Simon, alors que celui-ci tournait son premier long métrage, d'abord intitulé *Soutien de famille*. Il souhaitait consacrer une séquence à la Pietra di Bismantova, une curiosité de Reggio, sorte de météorite tombé du ciel dans la nuit des temps. Déjà, petit, j'allais y cueillir des noisettes en compagnie de ma mère. J'ai soudain été pris d'un grand vertige au moment d'aborder les interminables escaliers taillés dans la pierre, et j'ai dû m'appuyer sur Noëlle pendant toute la scène : c'était elle, le soutien de famille.

Reviendrai-je un jour à Reggio ? Reverrai-je l'Italie avant de mourir ? Combien d'*espressi* dégusterai-je encore à la *caffeteria* de la via dei Condotti ? Reverrai-je encore l'Etna piquer une colère rouge et cracher sa lave sur la Sicile ?

Sergio Reggiani, le Français

À Jean Cocteau

Cher Jean,

Je ne puis vous écrire sans plonger au plus profond de ma mémoire, à la recherche de souvenirs bien éloignés. J'entends des rires tinter, et je sens le parfum des jeunes filles qui nous frôlaient dans les cafés surpeuplés. Je revois aussi, avec la même netteté, les visages aimés et tous ces lieux que votre fine silhouette traversait en silence, semblant à peine toucher le sol. C'était il y a cinquante ans.

L'un des lieux que vous fréquentiez m'est particulièrement cher : c'est la Coupole, cœur battant de Montparnasse, où Paris était plus que Paris. Les artistes y étaient chez eux. S'il leur avait fallu élire un roi, les suffrages se seraient portés sur votre nom. Je vous revois entrer dans cet endroit aussi bruyant que brillant. Vous qui fûtes ensuite reçu sous l'autre Coupole, celle de l'Académie française, je suis certain que vous préfériez celle de Montparnasse : la conversation n'y atteignait sans doute pas les mêmes sommets que quai Conti, mais les convives étaient plus drôles et le champagne mieux frappé... Vous apparaissiez tiré à quatre épingles dans un costume choisi. Le revers de vos manches de chemise retourné sur votre veste, le

33

buste bien droit et vos cheveux frisés toujours découverts, on vous aurait reconnu entre mille.

Vous ne manquiez jamais, alors, de me saluer. Je revois votre silhouette se frayer un chemin à travers les tables bondées et venir, avec un grand sourire, m'embrasser comme un père embrasserait son fils. Et j'étais un peu votre fils, en effet, ou du moins un petit neveu turbulent, puisque j'ai passé le plus clair de ma jeunesse à deux pas du Palais-Royal, dans votre grand appartement. Il y avait là Jeannot Marais, bien sûr, et quelques habitués dont le fameux préfet Dubois, qui avait fait interdire l'usage des klaxons dans les grandes villes : les agglomérations s'en trouvaient plus silencieuses, mais pas votre appartement, qui ne désemplissait jamais. Ce petit monde volubile et curieux était à l'image de la joie de vivre de ces années-là, et de l'immense appétit d'art – d'art neuf, d'art audacieux – qui caractérisait notre jeunesse.

On a dit beaucoup de choses de votre affection pour Jean Marais, toutes fausses, évidemment. La rumeur se complaît à détruire des réputations, et les mauvaises langues, toujours plus bavardes que les bonnes, se nourrissent du malheur des déshonorés. Vous traversiez ces rafales de ragots, cher Jean, avec beaucoup de courage et de dignité, debout au milieu de la mitraille et du fiel, auréolé de cette indifférence glacée qui décourageait les plus hargneux des médisants. Au fil des années, Jeannot est devenu un peu votre fils spirituel, le jeune homme idéal selon vos canons. Et, qui sait, peut-être celui que vous auriez rêvé d'être...

Où que vous soyez, cher Jean, sachez que Jeannot Marais est le digne héritier de votre art.

Régulièrement, malgré l'âge qui le gagne lui aussi, il monte et remonte vos pièces de théâtre en totale fidélité à votre pensée. Il possède, il est vrai, une forme physique extraordinaire, ayant passé les quatre-vingt-un ans sans avoir jamais pratiqué aucun sport. Je dois à cette particularité d'avoir gagné un jeu télévisé. À la question : « Quel est le sport préféré de Jean Marais : la boxe, l'athlétisme, le vélo ou la chaise longue ? » j'avais répondu, dans l'incrédulité générale : « La chaise longue. » Et c'était vrai. Jean Marais est né athlète, comme vous êtes né poète. Cette saison encore, il grimpe sur les planches au milieu des *Chevaliers de la table ronde* pour dire vos mots à vous, à un public qui a tôt fait d'oublier les poètes si personne ne veille à leur mémoire. Grâce à lui et à son inépuisable vitalité, vous êtes encore très vivant au milieu de nous.

À vous avoir fréquenté, Jeannot a aussi hérité ce trait souple et filiforme, si à l'aise dans les arrondis, qui était votre inimitable style de dessinateur. Son art s'est amélioré avec le temps. Ses poteries, que j'ai pu admirer à Vallauris, sont splendides.

Je me souviens du *Britannicus* que j'ai eu le grand bonheur de jouer avec lui. Le temps a passé. Aujourd'hui, c'est *Mithridate* que nos rides nous autoriseraient à jouer, mais avoir partagé la scène crée des liens indissolubles. Pour *Britannicus*, Jean Marais avait dessiné lui-même les décors et les costumes : le décor comportait un escalier de quelques marches au milieu de la scène, et les costumes étaient de longs péplums romains. Sous le mien, je portais de hauts cothurnes pour me grandir, tant je semblais petit à côté du longiligne Jean Marais.

Le soir de la première, j'entrai en fond de scène, traversai le plateau et commençai de descendre l'escalier. C'est alors que je me pris les cothurnes dans mon péplum et m'étalai de tout mon long, le nez vers le public. Pour ne pas montrer mon désarroi, et faire accroire au public que cette chute était prévue, je restai immobile, à terre, tel le cascadeur après son acrobatie. Agrippine, qui avait les traits charmants de Gabrielle Dorziat, sut elle aussi garder tout son aplomb et me lança : « Ah ! Prince, où courez-vous ? » Cueilli à froid, le public a suivi... Jean Marais trouva ce jeu de scène imprévu si original qu'il me confia après le spectacle : « Tu devrais garder ce truc ! » Mais je n'en fis rien, et nous nous contentâmes donc de la version « verticale ». Je pris seulement garde, le lendemain, de relever mon péplum pour descendre les marches...

Les invitations pour la première précisaient que vous présenteriez de quelques mots son *Britannicus* le soir de cette première, avant le lever de rideau, en annonçant les comédiens. Après le « précipité » (les coups rapprochés) du « brigadier » (le fameux bâton des trois coups), vous êtes apparu. Le public s'est mis à vous applaudir. Avec un geste qui vous était familier, le doigt venant lentement devant la bouche pour obtenir le silence, vous avez fait taire ce public. Puis vous avez dit simplement : « Chut... Racine ! » Et vous avez disparu en coulisse. Que dire d'autre ?

J'ai voulu plus tard être à mon tour ce Néron que Jean avait incarné avec tant de talent, mais je n'avais pas un sou pour réaliser ce rêve. J'ai donc demandé à Maurice Escande, qui avait été mon professeur d'art dramatique, de me prêter son cos-

36

tume et sa perruque, car il avait joué ce rôle des années auparavant. Il se fit un plaisir de me les céder. Hélas, il était beaucoup plus grand que moi. Je dus retrousser les manches de ma toge de dictateur romain. Quant à la perruque, elle me causa bien des soucis; si je tournais la tête un peu rapidement, elle refusait d'accompagner le mouvement. Je me retrouvais alors avec les yeux dans la nuque, si j'ose dire. Et mon interprétation de Néron ne put effacer des tablettes celle de Jean.

Cher Jean Marais, j'aimerais tant vous revoir... J'ai déserté les rivages de la Méditerranée, où votre crinière blanche s'agite toujours dans le mistral.

Vous aussi, Jean Cocteau, aimiez le Midi gorgé de soleil. Souvent, vous assistiez aux corridas en compagnie de Pablo Picasso. Pablo revenait émerveillé des arènes. Il s'inspirait du spectacle pour des dessins en noir et blanc ou en couleur, tout virevoltants de lumière. L'or des toreros y brillait comme sous le plus violent des soleils, les muscles du taureau tendus sous la peau, l'épée du matador traversée de bleus glacés, et le sang de l'animal vaincu comme un adieu vermeil, reflétant sur le sable la cape de son bourreau.

Votre crayon était loin d'être maladroit, cher Jean, et faisait des envieux. Je possède un tableau de vous, un magnifique portrait de Paul Klee. Je n'ai pas besoin de le regarder pour penser à vous, car j'ai toujours en tête les mots de *Visite*, un de vos poèmes en prose, qui commence ainsi: «J'ai une grande mauvaise nouvelle à t'annoncer: je suis mort.» Plus loin, vous écriviez: «Je me voyais sur cette chaise avec l'air fusillé d'une chemise.» Quelle force dans ces quelques mots! Vous que l'on a souvent taxé de «poète mondain», confondant le raffinement du dandy avec l'extrême précision de l'artiste, avez démontré que vous étiez un poète, un dramaturge, un dessinateur. J'ajouterai, pour vous avoir bien connu, que vous étiez un homme au cœur débordant de générosité et de charisme.

J'ai eu la chance de jouer l'une de vos pièces, forte et dérangeante, *les Parents terribles*. Vous alliez à l'encontre des idées reçues, vous y moquiez la sentimentalité et les certitudes de notre société. Plus rien de tout cela ne susciterait de polémique aujourd'hui – autres temps, autres mœurs –, mais l'histoire a ainsi prouvé que vous aviez raison. *Les Parents terribles* se jouait au Théâtre du Gymnase. Interpréter le rôle de Michel nécessitait, de fait, une véritable gymnastique ; c'est tant bien que mal que j'ai donné corps à votre héros, prenant la suite de Jean Marais. Yvonne de Bray n'avait pas de tels soucis, fantastique de naturel dès qu'elle posait le pied sur les planches. Son aisance était telle que je me demandais parfois, lors des répétitions, si elle s'adressait bien à moi, ou à quelqu'un d'autre à travers moi. J'étais impressionné, et même troublé. Sa force de caractère allait apparaître en pleine lumière lors du fameux «scandale des *Parents terribles*».

Dès sa création, la pièce s'était attiré nombre de critiques virulentes, à cause de la peinture des mœurs que vous y aviez brossée. Chaque soir, en approchant du théâtre, j'apercevais de petits groupes hostiles qui m'attendaient devant la porte. Je devais raser les murs pour gagner l'entrée des artistes. «Je sens des vibrations de violence», me disiez-vous avant le lever du rideau, lorsque nous prêtions l'oreille à ce public houleux, au grondement sourd et inquiétant que nous percevions, venant de la salle. Vous passiez la représentation caché au-dessus de la scène, dans ce que l'on appelle les cintres, manipulant un morceau de bois qui avait perdu la fonction de portemanteau pour celle de porte-bonheur.

Chaque fois, j'étais hué dès mon entrée en scène : le personnage de Michel était au cœur de cette cabale. Un soir – j'aurais dû m'en apercevoir –, les troisième et quatrième rangs étaient essentiellement composés d'hommes. Quand je suis apparu, un commando de censeurs s'est levé et a pris d'assaut le plateau, essayant de grimper sur les planches. J'ai gagné rapidement l'avant-scène pour écraser les doigts des assaillants et les repousser à coups de pied, quand, dans le brouhaha et les cris, un policier a fait son apparition sur la scène, le visage en sang, pris à revers par d'autres agresseurs. Enfin, le rideau de fer prévu en cas d'incendie s'abattit pour séparer la scène de la salle en furie : l'invasion était repoussée... Pendant la bagarre, Yvonne de Bray n'était pas restée inactive, et avait fait preuve d'invention et de combativité : elle s'était emparée des bouteilles d'encre qui ornaient un bureau du décor et avait projeté ces bombinettes colorées sur les assaillants, surpris par l'audace de cette grande dame.

Le lendemain, je pris mes précautions. Pour garder la forme, je fréquentais alors assidûment la salle de boxe Wagram, où je m'étais lié d'amitié avec des puncheurs, tels Laurent Dautuille ou Hassan Diouf. Quatre ou cinq de ces gardes du corps me tinrent une escorte propre à décourager les plus coriaces ennemis de votre théâtre. Mais il était malheureusement trop tard : la police avait interdit le spectacle pour préserver l'ordre public. Les censeurs avaient gagné la partie, et moi, je n'avais joué Michel que neuf fois... Chacun se souvient de la bataille d'*Hernani* : sans doute un jour celle des *Parents terribles* aura-t-elle sa place dans l'histoire du théâtre, et dans celle des mœurs. Je suis fier d'avoir été à votre côté dans ce combat.

L'âge venant, cher Jean, vous avez commencé à souffrir du cœur. Vous ne le cachiez point. Je conserve une de vos lettres qui s'achève par ces mots : « Je t'embrasse de mon pauvre cœur. »

Au bas de vos écrits et dessins, vous traciez sans lever le crayon une étoile qui devint votre signature d'artiste. La maladie et la fatigue changèrent jusqu'à cette habitude, vous obligeant à lever la main pour griffonner un astérisque tremblotant.

C'est à cette époque qu'Alain Resnais m'a confié une délicate mission. Il avait tourné en Allemagne un film sur les horreurs nazies, montrant les camps de concentration sous la lumière crue de la vérité. Le résultat était si violent qu'aucun distributeur ne voulait présenter le film en salle. Alain Resnais savait que nous nous connaissions. Il m'a téléphoné pour me demander un service : vous inviter à la projection de son film. Vous étiez très malade. Je redoutais pour vous une fatigue supplémentaire, et, surtout, que la vision de ces images d'épouvante ne vous anéantisse. Néanmoins, le sujet me semblait trop grave, la cause trop importante : je vous ai transmis la requête d'Alain Resnais. Vous l'avez acceptée.

Lors de la projection, j'étais à côté de vous dans la salle obscure. Les images défilaient et jetaient une lumière blafarde et fuyante sur votre visage attentif. J'avais peur pour vous. Peur pour votre cœur, pour votre vie. Mais pas une seconde vous n'avez faibli, pas une seconde vos yeux n'ont quitté l'écran. À la fin du film, vous êtes venu vers moi, le visage bouleversé, si digne dans votre grande fragilité, et vous m'avez dit en me regardant de vos grands yeux clairs : «Ce film va sortir, je te le garantis.» Le surlendemain, la presse débordait de vos articles élogieux et courageux, et *Nuit et Brouillard* fut bientôt projeté dans de nombreuses salles. Quelle belle victoire que celle-ci : victoire sur les couards du cinéma mercantile, victoire sur les mémoires promptes à oublier, mais aussi victoire sur votre maladie, victoire sur votre propre mort.

Hélas, cette mort qui apparaît si souvent dans votre œuvre, lorsque Azraël étend ses ailes noires sur vos personnages, n'a pas eu pitié de votre cœur usé pour s'être trop ému de la beauté des choses et des amours fragiles. «J'ai une grande mauvaise nouvelle à t'annoncer : je suis mort.» Le poème est devenu réalité, triste réalité. Le cœur brisé, je n'ai pas eu le courage de vous accompagner à ce que l'on appelle, à tort, votre «dernière demeure». Encore aujourd'hui, j'ignore l'endroit où vous êtes inhumé : est-ce dans un cimetière parisien ? Ou bien à l'ombre d'un cyprès, au bord de la Méditerranée ? Peu importe, car je n'aime pas fleurir les tombes. Si un jour l'envie me prend d'aller me recueillir devant la vôtre, Jeannot Marais m'indiquera le chemin.

Dans mon Panthéon personnel, cher Jean, vous siégez à la place d'honneur, aux côtés de Pablo, de

Sartre, de Camus : les conversations doivent souvent s'y échauffer ! Vous êtes l'un de ceux qui ont le plus compté dans ma drôle de vie, l'un des hommes que j'ai le plus admirés.

Je pense à vous très souvent. J'ai enregistré en 1980 une chanson qui vous est dédiée : un bien petit hommage à l'artiste que vous fûtes, mais je la chante en essayant d'y mettre la générosité qui nourrissait vos créations.

Je ne crois pas, cher Jean, à la mort absolue, et je sais, je suis persuadé que nous nous rencontrerons de nouveau. Alors, comme vous veniez vers moi à la Coupole dans le temps de ma jeunesse, je vous verrai avancer, et nous nous embrasserons...

Serge

À Roger Pigaut

Cher Roger, mon très grand ami,

Nous étions trois amis, et me voilà seul. «Seulâbre», comme il te plaisait de dire. Tu savais de quoi tu parlais en évoquant la noirceur de la solitude. «Non, non, non, je ne suis jamais seul avec ma solitude», ai-je chanté si souvent, de disques en récitals. Mais elle est une cruelle compagne, qui a bien failli plusieurs fois te tuer.

Nous étions trois amis, et me voilà seul. Le deuxième a disparu sans même que l'on s'en aperçoive, comme un mot disparaît de notre vocabulaire, comme une marée se retire d'une plage : si doucement que c'en est imperceptible. On se retrouve à pied sec au milieu des galets et des étoiles de mer mortes, seul au milieu de la vie et des amis disparus.

Nous étions trois amis, et me voilà seul. Toi, mon ami, mon frère, tu es mort au service de la grande passion de ta vie, qui t'a donné quelques joies et beaucoup de souffrances : le cinéma. Lors des repérages pour un film que tu avais en projet, tu es tombé, te cassant le col du fémur. Un accident banal, qui n'inquiéta pas les médecins. Une fois la fracture réduite, tu es rentré chez toi, plâtré sur toute la hauteur de la jambe, prêt pour une paisible convalescence. Tu es mort dans la nuit, sans explication. Depuis, je suis définitivement «seulâbre», et ton fantôme s'ajoute à la longue cohorte des êtres aimés que j'ai vus s'éclipser.

Pour lutter contre l'insomnie, certains comptent les moutons; moi, je pourrais compter les amis que la mort m'a arrachés.

Nous étions trois amis et, avant la «drôle de guerre», nous avons vécu une drôle de paix, cette période formidable. La jeunesse, c'est le contraire de la guerre. Les guerres durent toujours trop longtemps, et on les oublie toujours trop vite, jusqu'à la suivante. La jeunesse, elle, passe trop vite, mais l'on passe sa vie à s'en souvenir, et elle ne revient jamais.

Nous étions trois amis, et nous jouions chaque nuit à nous raccompagner sans fin les uns les autres. Toi, Roger, tu habitais chez tes parents à Montreuil-sous-Bois; je logeais à l'époque boulevard de Magenta, et le troisième larron avait ses pénates avenue Jean-Jaurès. Nos discussions n'en finissaient pas et nous ne pouvions jamais nous décider à aller dormir, naviguant jusqu'à l'aube entre ta station de métro – Croix de Chavaux –, les gares de mon quartier et les pentes de Belleville. Balades interminables, épopées de noctambules dont nous sortions, à l'aube, la tête pleine d'étoiles et l'amitié chevillée au corps, impatients de voir tomber la nuit suivante, pour refaire une fois de plus le monde...

Nous étions trois amis, et deux d'entre nous se sont voués au cinéma, par ces hasards de la vie

44

qui sont autant de chapitres rassemblés sous le titre «destin». Je suis devenu acteur, tu t'es tourné vers la réalisation. Tu as gravé sur pellicule *le Cerf-volant du bout du monde*, première coproduction franco-chinoise de l'histoire du cinéma, conte merveilleux que tu tournas en partie là-bas. Il te valut une récompense à Cannes. Tu as réalisé ensuite quelques bons polars, des films solides, puis *Comptes à rebours* et *Trois milliards sans ascenseur*. Je me permets de te dire, mon cher Roger, que c'est *Comptes à rebours* que je préfère, même si tes autres films me plaisent beaucoup. Je les aime autant que je déteste cette série des *Angélique*, pour laquelle tu as fait l'acteur, apparaissant en sous-pirate, en corsaire de pacotille, avec chapeau à plumes et sabre de carton-pâte. Il faut bien vivre...

Je préfère me souvenir des films qui te doivent tout. Si *Comptes à rebours* est mon préféré, c'est peut-être parce que j'y ai participé, sous ta direction. Sur le tournage, tu traitais fort bien tous les acteurs et actrices... mais tu ne me réservais aucun régime de faveur. Un soir, après quelques scènes fort éprouvantes, je te l'ai fait remarquer. Tu as fondu en larmes. Tu chialais comme un gosse, devant moi... Pardonne-moi, Roger, j'aurais dû comprendre. Nous ne pouvions pas être l'un pour l'autre le metteur en scène et l'acteur. Ce qu'il y avait dans tes larmes, c'était le prix de l'amitié.

Quand nous étions jeunes, nous ne nous fréquentions pas seulement à l'occasion de nos virées nocturnes. Tu passais souvent au salon de coiffure de mes parents. J'étais apprenti coiffeur, sans vocation ni conviction. Je ne serais jamais devenu ce

«Barbier de Belleville» que j'ai chanté, «roi du ciseau et de la barbiche en biseau». Je suivais néanmoins la voie paternelle, et le Figaro en herbe que j'étais s'appliquait à te défriser les cheveux. Lotion, fer, lotion, peigne, lotion... Le résultat n'était pas toujours à la hauteur de tes espérances... Est-ce pour cela que nous nous partagions un immuable chapeau vert? Tout comme j'essayais de venir à bout de tes frisettes, je m'évertuais à déformer ce galurin pour qu'il prenne une forme à la mode, à la manière américaine de l'époque.

Le chapeau n'était pas notre seul atout quand nous paradions dans les rues de Paris. Comme je gagnais déjà ma vie – ou à peu près –, j'avais acheté une Citroën d'occasion chez un certain Lerondel. Belle occasion! Le radiateur était percé et la voiture rendit l'âme au bout de quelques kilomètres; cette déconvenue m'a fait tant enrager que je n'ai pu oublier le nom du coupable, ce filou de Lerondel qui n'a jamais plus – tant mieux pour lui – croisé ma route. Mais j'avais pris goût à la chose, et je me suis débrouillé pour acheter une autre voiture – neuve, cette fois – pétaradant de ses neuf chevaux. Je déboulais sur les grands boulevards. Pour être à la hauteur d'une telle carrosserie, il nous fallait, en plus du chapeau vert, un costume de qualité. Je t'ai emmené chez les frères Enbriaco, des tailleurs habiles qui nous ont confectionné un costume chacun: veste très longue à la Django Reinhardt, épaules bien larges et légèrement tombantes... La classe!

Puis, j'ai tout fait pour remplir ce costume avec un corps d'Adonis. Je fréquentais assidûment les salles de musculation de la Société athlétique montmartroise, où, à force de suspensions, d'haltères et de poids de toutes tailles, je me sculptai des « biscottos ». Les litres de sueur que j'ai versés à la S.A.M. n'ont pas été vains : ils m'ont permis de me mettre à la boxe et au karaté, mais aussi d'interpréter des rôles « physiques ». J'avais puisé là les forces nécessaires pour tenir bon, des années plus tard, sous l'uniforme de Gerlach dans *les Séquestrés d'Altona*. Les kilomètres à vélo dans les allées du bois de Boulogne n'ont sans doute pas été inutiles non plus. Que d'heures j'ai passé à virer et virer autour des arbres, autour du lac, dès l'aube ou à la nuit déjà tombée, sous le soleil et sous la pluie ! Ces millions de coups de pédale ne m'ont valu aucune gloire, car jamais je n'ai gagné de course. Pas une seule. En revanche, j'ai collectionné les places de second, et nul mieux que moi ne peut comprendre l'enfer de Raymond Poulidor...

De coups de pédale en virées nocturnes, nos jeunes années, Roger, s'en sont allées. Années d'insouciance dont la guerre est venue trop tôt sonner le glas – nous avions dix-huit ans. Tu étais éperdument amoureux d'une jeune actrice, Élisabeth ; mais Élisabeth était allemande, et juive... Nous la cachions chacun notre tour. C'était peu, très peu, dans l'ouragan de massacres qui ravageait l'Europe, mais c'était notre petite manière à nous de résister. « Celui qui sauve une vie sauve l'humanité », dit la Bible. Les costumes à la Django et le galure furent vite oubliés : les seuls chapeaux verts qu'on vit désormais défiler dans Paris étaient les casques de la Wehrmacht...

Un jour, tu fus engagé dans je ne sais plus quel film de Claude Autant-Lara, qui n'était pas spécialement persécuté par l'occupant. Élisabeth ne supporta pas que tu joues pour lui et partit rejoindre son mari, Kurt Alexander, qui se cachait à Grenoble. La Gestapo les rafla tous les deux en Isère et nous n'eûmes plus de nouvelles d'eux. Désespéré, tu t'es engagé dans l'armée française à Guingamp, aux premiers jours de la Libération, en espérant la retrouver. Auschwitz, Buchenwald, Dachau... Au fur et à mesure que les Alliés progressaient, que les camps de la mort étaient libérés, ton espoir diminuait. Élisabeth était morte, écrasée sous la botte nazie. Restée à Paris, aurait-elle échappé à ses bourreaux? Serait-elle passée à travers les mailles du filet, chaque jour resserré un peu plus sur les Juifs cachés? Il était de toute façon trop tard. Élisabeth n'était plus, et ton amour devint deuil. Loin des liesses de la Libération, tu es rentré chez toi, rue Chardon-Lagache, et tu t'es ouvert les poignets. Une amie, Gilberte, passant par hasard te rendre visite, t'a découvert baignant dans ton sang. Avec deux cravates, elle te fit un garrot autour du bras et courut alerter un chirurgien. On te sauva.

Ta vie a repris son cours, à défaut de retrouver un sens. Les femmes que tu as aimées jalonnent ton existence comme le pointillé des coquelicots sur l'or des champs de blé. Tu as épousé Fou-Fou, qui est morte d'un cancer. Puis il y eut Joëlle, au charme si étrange. Elle répétait à qui voulait l'entendre qu'elle se suiciderait le jour où elle ne serait plus en mesure de séduire physiquement. Ce n'était pas là le serment d'une dévoreuse d'hommes, le credo d'une nymphomane, mais simplement l'angoisse profonde d'une femme qui avait compris l'implacable usure du temps et la fragilité des roses.

> *Où et quand viendra-t-elle,*
> *et comment sera-t-elle,*
> *en robe de velours ou vêtue de dentelle,*
> *chargée de nostalgie ou porteuse d'ivresse,*
> *la vieillesse ?*

C'est Georges Moustaki qui m'a prêté ces paroles. Pour Joëlle, la vieillesse devait ressembler à ce qu'elle voyait dans son miroir et dans le regard indifférent des hommes. À quarante-six ans, elle mit fin à ses jours dans la cave d'une amie costumière, afin qu'il soit trop tard pour la sauver quand on la découvrirait.

Heureusement, la vie triomphe toujours et continue sans nous. Sébastien, ton fils adoptif, est rentré du Québec avec sa femme et ses deux enfants pour se consacrer, quelque part en France, à la brocante. Moi aussi, je regarde grandir mes innombrables petits-enfants, et, grâce à eux, la jeunesse qui me fuyait semble revenir un peu.

Roger, mon ami, mon frère, j'ai chanté dans *les Mensonges d'un père à son fils* que «les amis ne meurent jamais». C'est un gros mensonge, en effet... Chaque jour ton absence me rappelle que les amis meurent aussi, même si l'amitié, elle, ne s'en va pas. J'aurais pu chanter cette vérité, dire que «les amis ne s'oublient jamais». Car je ne t'oublie pas, je n'oublie rien de toi, ni ta voix, ni ton visage. Il me semble que nous nous sommes quittés hier, et, dans cet au-delà auquel je ne crois guère mais où tu m'attends peut-être, je sais que nous pourrons reprendre le cours de notre amitié. Je n'aurai plus à

te défriser les cheveux, tu n'auras pas à me raccompagner à l'aube boulevard de Magenta, et, si
l'on nous refuse l'auréole – car nous n'avons pas
été des saints –, nous remettrons notre chapeau
vert et l'éternité sera à nous.

En attendant ces retrouvailles, je t'embrasse.

Serge

C'était le 1er novembre 1930, soir de la Toussaint. La nuit était tombée très tôt. Dans un vacarme terrible et une fumée effrayante, notre train venait de stopper en gare de Lyon. Ma mère et moi avons pris le métro pour gagner la gare Saint-Lazare. Là, un autre train devait nous emporter vers la Normandie, à Yvetot, où nous attendait mon père. Nous avons bien failli manquer l'arrêt, car le chef de gare prononça «Ivto», et non « Ivétot' » – ainsi que nous nous y attendions. Par chance, au moment où le train redémarrait, j'ai pu lire le panneau sur le fronton de la gare : nous sommes descendus en catastrophe, armes et bagages en tête.

Nous avons traversé Yvetot sous une pluie battante. Un vieil homme nous a indiqué l'hôtel que nous cherchions et nous a même protégés de son parapluie, jusqu'à la petite place en question. Là, levant la tête, j'ai lancé notre mot de passe familial, un long sifflement, sur une seule note. Une fenêtre s'est ouverte à l'étage de l'hôtel : mon père.

Cette année-là, j'ai fait ta connaissance, Paris. Pour moi, tu n'étais pas encore la Ville-Lumière, mais plutôt la ville-ténèbres, masquée par les grandes ombres de la Toussaint. Tu as d'abord été

51

un coin de nuit entre deux trains, car mon voyage était un exil, pas une adoption.

Trois mois après notre arrivée à Yvetot, nous repartions pour la Capitale. Mon père s'installa dans son salon de coiffure, 110 rue du Faubourg-Saint-Denis. Le décor de ma seconde enfance, française, était planté : une poignée de rues entre la prison pour femmes de Saint-Lazare – détruite depuis – et les gares de l'Est et du Nord.

Rue de Savoie, rue de Sévigné, la Celle-Saint-Cloud, avenue Victor-Hugo, Neuilly, le Marais, rue de Jarente, rue de Tocqueville, quai de Béthune, rue de Hesse, rue Raynouard, boulevard Suchet : ça ressemble à une longue promenade, au hasard du chemin et des carrefours. C'est un peu cela... Une promenade au hasard de ma vie, des femmes que j'ai aimées, et qui m'a pris un peu plus d'un dimanche ensoleillé : soixante-cinq ans... Merci, Paris.

Dans aucun de ces pénates successifs et désordonnés je ne crois avoir habité seul – et j'ai souvent logé dans de tristes lieux... Avec ma première épouse, Jeanine Darcey, rencontrée sur le tournage du *Carrefour des enfants perdus*, nous partagions un maigre deux-pièces sans autre chauffage qu'un minuscule poêle à bois. Les soirs d'hiver, nous préparions une casserole d'eau pour qu'elle tiédît la nuit, à sa chaleur finissante. Au matin, hélas, il nous fallait en briser la glace... C'était *Ma bohème*, les années de vache enragée, et de bonheur malgré tout. Ce bonheur de mon enfance parisienne, à apprendre, en jouant dans les rues de la Capitale, les règles de la vie.

J'ai vécu mon adolescence dans et pour la boxe, au Centre Sporting Club, à l'Élysée-Montmartre, à la Société athlétique montmartroise, à la salle Wagram... Dans une chambrette de notre appartement du Faubourg-Saint-Denis, au fond d'un très grand coffre de bois, étaient rangés des gants d'entraînement rouges de douze onces, et des gants de combat deux fois plus petits. Aux premiers beaux jours, j'allais au gré des rues défier les garçons bouchers. Ils étaient mes adversaires favoris parce qu'ils étaient à l'évidence plus costauds que moi et que, par un entraînement assidu, à force d'haltères et de corde à sauter, je pensais avoir acquis assez de vivacité et d'endurance pour les battre.

Les coups de poing de tous les garçons bouchers de la capitale n'étaient rien comparés aux taloches de mon père, Ferrucio. Il me semble sentir encore sur ma joue la terrible paire de claques qu'il m'infligea un jour où je lui montrai mon carnet de notes... piteux. Je m'en étais pourtant tiré à bon compte : un soir, Ferrucio avait assommé un flic qui l'apostrophait dans la rue, sous prétexte que son petit chien arrosait copieusement un arbre du boulevard de Magenta. Ferrucio avait des mains – et des pieds – immenses, et ses colères furent sans nul doute mon meilleur entraînement !

Plus tard, j'ai tenté de lui apprendre à conduire. Je l'ai mis au volant de ma Simca sport flambant neuve et nous avons commencé à tourner autour du square Saint-Vincent-de-Paul, où j'avais boxé avec les copains sur les larges trottoirs qui nous servaient de rings. Nous passions derrière l'église quand mon père donna un brusque coup de volant, précipitant le véhicule dans les escaliers qui dégringolent vers la rue Lafayette. Nous avons dévalé les trois grandes séries de marches pour nous immobiliser quelques dizaines de mètres plus bas. La Simca était intacte – tout comme ses occupants. Mais mon père est aussitôt redevenu piéton. Ne pas avoir son permis ne l'empêchait nullement de se présenter parfois aux clients sous le nom de Fangio, ajoutant, à l'adresse des incrédules et des admiratifs : « J'ai arrêté la compétition... Trop dangereux. La coiffure, c'est plus tranquille. » Le lendemain, il se faisait passer pour Pélissier, ancien champion de vélo, en usant du même argument. Et pour les clientes, il était Monsieur Henri, à la main baladeuse...

Ferrucio était passionné de boxe au point d'organiser des combats avec des hommes qu'il faisait venir d'Italie. Je les ai tous vus défiler dans ma chambre, où ils dormaient sur une misérable clayette. Il y eut Quadrini, un léger sans histoire qui s'installa, après sa carrière, comme masseur à Nîmes ; Merlo Preciso, un mi-lourd très grand, mais assez léger, aux jambes fort graciles ; et beaucoup d'autres, petits, moyens et gros, encaisseurs ou puncheurs, stylistes ou fonceurs.

Je me souviens surtout de Paderni, champion de France des légers – 62,5 kilos à l'époque. Il était opposé à un dénommé Cohen. Paderni était largement supérieur à son adversaire, et, pendant les huit premières reprises, le roua de coups sans que l'autre pût placer une seule riposte. Cohen n'avait qu'une seule vertu : encaisser. Mais il encaissait à la perfection, et tenait toujours sur ses jambes, bien qu'il fût couvert d'ecchymoses. À la neuvième reprise, Paderni jeta l'éponge et s'adressa au public : « Je suis ici pour boxer, pas pour tuer un homme. J'abandonne. » Et Cohen fut déclaré vainqueur sous les sifflets. Voilà pourquoi la boxe s'appelle « le noble art ».

Les boxeurs n'étaient pas les seuls clients insolites à défiler dans le salon de coiffure de mon père. Il y avait ainsi un certain Marcel Després, dit « Cecel », toujours tiré à quatre épingles, tel un employé des Pompes funèbres. En réalité, il était souteneur. Il venait seulement « relever les compteurs » des filles du quartier. Carmen, sa femme – car il en avait une –, aidait parfois ma mère le samedi et le dimanche matin, quand le salon de coiffure ne désemplissait pas. Été comme hiver, les souteneurs venaient se faire raser par mon père – on eût dit que les parrains de New York s'étaient donné rendez-vous dans sa boutique. Pendant ce temps, l'une des filles se faisait donner « un coup de fer » dans les frisettes par ma mère. Je garde encore en mémoire l'horrible odeur des poux grillant sous le fer à friser... Aujourd'hui encore, je ne puis entrer chez un coiffeur sans que cette odeur, surgie du passé, ne me prenne à la gorge.

En face du salon se dressait l'imposante prison Saint-Lazare. Sur l'accotement, à l'entrée d'un étroit couloir, se tenait Madame Faës, une énorme femme, sans âge. Celle-ci était écrivain public. Chaque jour, une longue file d'attente se formait devant sa minuscule échoppe. Elle avait préparé des lettres toutes prêtes, adaptées à chacun des cas qui lui étaient soumis : lettre de rupture, demande en mariage, recherche d'emploi, lettre d'excuses ou d'insultes, accompagnées bien sûr de toute la panoplie des lettres à l'administration et d'une ribambelle de formules de politesse. Dès que le client avait exprimé son souhait, Madame Faës sortait la lettre idoine – modèle pour femme ou pour homme –, remplissait les blancs avec les noms et prénoms du destinataire, inscrivait la date et faisait signer avant d'encaisser.

De ma fenêtre je regardais le spectacle des rues de Paris, bruyant et coloré, toujours renouvelé. Le décor de ma chanson *la Putain* ressemble à s'y méprendre à celui de mon quartier.

L'un des personnages qui a marqué mon enfance parisienne fut notre ami Bervini, dit « le Taureau », eu égard à sa force et au diamètre respectable de son col et de ses biceps. Prisonnier politique en Italie, il avait été interné par les fascistes à l'île de Lipari, au « bagne de feu », dont il s'était évadé à la nage. Il était arrivé à Paris avec deux valises : une très légère, contenant des vêtements, volés sans doute de-ci de-là, l'autre terriblement lourde. Pénétrant dans le salon de mes parents avec la seconde valise, il m'avait dit en italien : « Ce n'est que cultivé que l'on peut arriver. » Et il avait ouvert la valise, qui était bourrée de livres. « Choisis celui que tu voudras. » Je n'avais alors presque jamais rien lu d'autre qu'une petite pièce de Sacha Guitry, *les Deux Couverts* – un père attend son fils le jour du bachot et se retrouve finalement en tête à tête avec sa maîtresse... Un peu au hasard, j'avais désigné un livre du bout du doigt, et Bervini me l'avait tendu : c'était *Martin Eden*, de Jack London. Le livre idéal pour convertir un enfant à la lecture. Je lus ce bouquin, le lus et le relus encore, avant de dévorer toutes sortes d'autres livres.

Bervini n'avait sans doute pas mesuré les conséquences de son acte. *Martin Eden* m'avait ouvert des horizons insoupçonnés : la culture, comme il l'avait deviné, mais également l'imagination, et bientôt la comédie. Mais cette passion de la lecture me fut aussi l'occasion de vivre une passion plus charnelle. C'était une femme mariée. Pour préserver son anonymat au-delà du demi-siècle écoulé depuis, je l'appellerai G. G. Nous parlâmes d'abord de nos lectures : elle appréciait par-dessus tout les œuvres de Charles Morgan : *Sparkenbroke, Portrait dans un miroir...* Son mari s'était absenté pour je ne sais plus quelle raison, et la conversation se prolongea jusqu'au moment où elle m'attira dans sa chambre. Dans un coin de la pièce était posée – Dieu sait pourquoi – une paire de skis, spatules vers le sol. Et j'ai marché dessus, m'entaillant profondément le front...

Chaque jour ou presque, un certain Cotti passait dans le salon de coiffure de mon père, habillé de bleu foncé des pieds à la tête, une casquette de marin sur la tête, portant sur son dos un grand sac rempli de coupons de tissus qu'il vendait à la sauvette. Il était charmant, sympathique et même spirituel, et nous le voyions toujours débarquer avec plaisir. En 1939, au tout début de la «drôle de guerre», Cotti disparut sans crier gare et ne reparut jamais. Nous apprîmes peu de temps après qu'il était un espion fasciste et renseignait la police mussolinienne sur les agissements des Italiens exilés à Paris... Comme quoi l'habit, même celui d'un marchand de tissus, ne fait pas le moine...

Cotti a dû croiser plus d'une fois, au 110, rue du Faubourg-Saint-Denis, mon ami Trachez. Après l'invasion allemande, Trachez me rendit une visite un peu plus solennelle qu'à l'ordinaire, le visage plein d'émotion. Il me serra longuement la main en me quittant, ajoutant d'une voix blême : « J'espère te revoir... » Mais nous ne nous revîmes jamais... Trachez s'engagea dans la Résistance et mourut pour la France. Cotti, Trachez : deux destins qui ont longé le gouffre, l'un du côté des bourreaux, l'autre sur la voie des héros.

Ma mère avait aménagé à mon intention une chambre-salon avec papier peint rouge et garnie de fauteuils recouverts, comme mon lit, de satin blanc : un véritable appartement de cocotte ! Un soir de bombardement sur la gare des Batignolles, pendant la guerre, j'étais resté accoudé à ma fenêtre, contemplant ce magnifique feu d'artifice et le ballet des fusées lumineuses se balançant sous leur parachute. Soudain, une pluie d'éclats métalliques s'abattit sur le quartier. J'avais les mains en sang. Je compris alors que la guerre n'était pas un spectacle.

Ma Résistance fut bien plus timide, du haut de mes dix-huit ans, que celle de mon ami Trachez. Avec Daniel Gélin, Simone Kaminker – que personne n'appelait encore Signoret –, Danielle Delorme, Yves Allégret et mes parents, nous investîmes une demeure à Charmes-la-Grande, vaste maison perdue dans une immense forêt. Le samedi et le dimanche, j'enfourchais le vélo pour femme de Jeanine Darcey et pédalais jusqu'à Paris, où je jouais un petit rôle au théâtre Grammont. Puis vint l'exode, avec Michel Vitold et le peintre italien Casotti. Adieu Paris, pour un temps. Paris souillé de vert-de-gris, Paris foulé par les bottes allemandes et les chenilles des panzers. Adieu enfance... Mais je suis revenu bien vite dans la Capitale poursuivre mon histoire d'amour avec la Seine.

La Seine, fiancée de France,
A des centaines d'alliances :
Ce sont les ponts,
Du sud au nord,
Qui la marient...

J'ai chanté cela des années plus tard, en hommage au grand amoureux de Paris qu'était Jacques Prévert.

Paris est une femme aux millions d'amants, qui la regardent sans oser la toucher, qui la caressent sans la souiller. J'ai chanté une autre très belle chanson, plus nostalgique, signée Henri Gougaud :

Où est passée Paris ma rose,
Paris sur Seine la bouclée ?
Sont partis, emportant la clef,
Les nonchalants du long des quais.
Paris ma rose.

Paris ma rose, c'est le Paris des longues flâneries, des courses à vélo dans le bois de Vincennes qui embaume le printemps, c'est le Paris des premières amours, des filles aux robes vagues, c'est le Paris de mon enfance insouciante et vagabonde.

Où est passée Paris la grise
Paris sur brume la mouillée ?
L'est partie, Paris l'oubliée,
Partie sur la pointe des pieds.
Paris la grise.

59

Paris la grise, c'est le Paris de mes virées nocturnes et de mes retours à l'aube, c'est le Paris où se croisent dans le brouillard du matin lève-tôt qui vont travailler et noctambules en quête d'un lit, c'est le Paris des jours de pleurs, des nuits de larmes, quand la Seine tend ses bras accueillants et donne envie d'en finir.

> *Où est passée Paris la rouge,*
> *La Commune des sans-souliers ?*
> *S'est perdue vers Aubervilliers*
> *Où vers Nanterre l'embourbée.*
> *Paris la rouge.*

Paris la rouge, c'est le Paris de mes copains, le Paris des poulbots et des gavroches, le Paris qui aimait ses pauvres, le Paris où traînaient toujours l'idée d'une barricade et l'odeur de la poudre, c'est le Paris du peuple, le Paris des Parisiens.

> *Où est passée Paris que j'aime ?*
> *Paris que j'aime*
> *Et qui n'est plus...*

Non, ce Paris de ma jeunesse n'est plus, emporté par la Seine vers l'embouchure de l'Histoire. Non, ce Paris que j'ai aimé n'est plus, mais demeure mon Amour de Paris. Car elle est là tout près de moi cette ville que j'aime, cette ville qui est ma mère adoptive et qui me serre dans ses bras, cette ville qui m'aide à avancer vers la nuit. Et quand la lumière pour moi s'éteindra, il me console un peu de savoir que Paris toujours dans ce monde brillera. Paris que j'aime et qui me le rend bien. Paris que j'aime...

Serge Reggiani

À André Brunot

Mon cher Maître,

Dans ma carrière théâtrale, il est deux rôles dont le public ignore tout, et que j'ai pourtant interprétés : l'Arlequin de *la Double Inconstance* et l'Antiochus de *Bérénice*. Je dois à ces deux personnages d'avoir réalisé mon rêve : exercer le merveilleux métier d'acteur.

Au concours d'entrée du conservatoire national d'Art dramatique, il fallait présenter deux scènes différentes, l'une de comédie, l'autre choisie dans le répertoire tragique. Je décidai de «donner» Arlequin et Antiochus. J'avais suivi les cours de Michel Vitold puis de Pierre Dux et Fernand Ledoux, et je me risquai à passer le concours...

Quelle chance pour moi d'avoir été reçu dans votre classe ! Il est des maîtres que les élèves ne dépassent jamais, trop heureux de les approcher à force de travail. Vous m'avez appris à être, non à jouer, et cette leçon-là décida de toute ma carrière, de toute ma vie d'acteur. J'ai aussi appris de vous quel chemin interminable il faut parcourir, avec patience et obstination, pour accéder aux rôles rêvés. Il est une chanson à la fois drôle et triste, un peu amère, où j'incarne un vieux souffleur : «Dans ma guérite, à mi-chemin entre la cour et le jardin...» Ce pauvre souffleur n'est jamais monté sur scène, mais il n'a pas abandonné son rêve, et le feu sacré du théâtre brûle toujours en lui. Il se désole de voir quelque cabotin occuper la scène et lancer : «Rodrigue, as-tu du cœur?» comme on dirait : «Avez-vous l'heure?» Les années ont passé, mais le souffleur se sent toujours l'âme d'un jeune premier :

Moi, je veux brûler les planches,
Je veux prendre ma revanche
Et croûler sous l'avalanche
Des cris et des bravos
Que j'entends dans mon dos...

Vous, Maître, vous avez regardé les ovations en face, et il y en eut beaucoup dans votre carrière. De figurants muets en personnages secondaires, vous êtes arrivé aux plus grands rôles du répertoire, dans ce temple du théâtre qu'est la Comédie-Française. Vous avez joué Sganarelle pendant des années et sermonné l'incorrigible Don Juan, vous avez vu le rideau tomber sur les mots fameux : «Mes gages! Mes gages!» Scapin a eu vos traits tout aussi longtemps, avant que vous ne les prêtiez à Cyrano. Et quel Cyrano! La tirade des nez devenait avec vous un feu d'artifice :

Ah ! non. C'est un peu court, jeune homme !
On pouvait dire, mon Dieu, bien des choses
*   [en somme.*
En variant le ton, par exemple, tenez...

Et la salle était suspendue à vos lèvres, écoutant ces vers que chacun connaissait par cœur et que tous redécouvraient néanmoins, tant vous les disiez bien. Quand vous avez repris le rôle à la Comédie-Française, Roxane avait le beau visage de Marie Bell, et une émotion infinie passait dans cette magnifique et paradoxale déclaration : «Non, non, mon cher amour, je ne vous aimais pas.» Vous étiez si inspiré, cher Maître, que l'on croyait voir frémir les narines de votre faux nez : Cyrano vivait en vous, Cyrano vivait grâce à vous. Les jeunes acteurs de la Comédie-Française avaient alors pour nom Jean Martinelli, Robert Manuel, Julien Bertheau, Pierre Dux (un futur Cyrano, lui aussi), et bien d'autres. Je comprends qu'ils aient tous fait carrière : chaque soir, vous leur donniez la plus belle leçon de théâtre qu'ils pouvaient espérer, une leçon de panache. Et vous aviez alors, cher Maître, soixante-deux ans.

J'ai eu la chance de jouer de petits rôles dans *Cyrano*, notamment un cadet de Gascogne au quatrième acte, lors du fameux siège d'Arras, lorsque les troupes françaises encerclant la ville sont elles-mêmes assiégées et réduites à la famine. Je devais faire mon apparition un goujon à la main, accompagné d'un camarade tenant un minuscule moineau, et répondre, quand on m'interrogeait, que je revenais de la pêche. Mais un soir, montrant mon goujon au public, j'ai déclamé avec assurance que je revenais... «de la chasse»... Alors mon collègue a brandi son moineau et enchaîné : ... «de la pêche !». Ce fut une explosion de rires. Quelques alexandrins plus loin, j'apostrophais Cyrano et lui réclamais «quelque chose à manger, à l'huile». Il me jetait mon casque entre les mains et me répondait d'un jeu de mots : «Ta salade !» Mais un soir, pris d'une soudaine inspiration gastronomique, je lançai : «Quelque chose à manger, à la... à la... à la tomate !» Cyrano, éberlué, ne trouva rien à me répondre, me gratifiant simplement d'un regard noir et vaguement rieur...

Vous étiez également étonnant de vérité dans *Entrée des artistes,* car l'homme de théâtre avait compris les exigences du septième art. Vous m'avez enseigné à élargir mon jeu sur scène et à cultiver la sobriété au cinéma.

Élève au Conservatoire, j'étais tenu de faire de la figuration au Français, ou d'y incarner parfois de petits rôles. Un soir, Jean Meyer étant tombé malade, j'ai dû assumer ses rôles en plus des miens. Je ne suis pas près d'oublier cette représentation. Catastrophique... Pourtant, votre enseignement m'avait préparé à endosser tous les rôles, du plus comique au plus sombre. J'ai pu ainsi passer du registre du rire dans *Trésor,* adapté d'une pièce anglaise, à celui du frisson sous l'uniforme de Gerlach dans *les Séquestrés d'Altona.* Et si je n'ai pas été, à mon goût, bien épatant dans *les Justes* de Camus, c'est en partie parce que le rôle avait été écrit pour... Gérard Philipe. Entre son visage d'ange et ma trogne d'Italien, entre sa langueur un peu triste et mon énergie musclée, il y avait quelque différence... Gérard Philipe aurait ainsi retrouvé Maria Casarès, qui fut pour lui une si magnifique San Severina dans *la Chartreuse de Parme.* Un an avant *les Justes,* j'avais joué, au côté de Maria, *la Dévotion à la Croix*, de Calderón, dans une mise en scène du même Camus, au festival d'Angers. Je fus donc très heureux de la retrouver au Théâtre Hébertot, pour *les Justes.*

Ma très chère amie Maria n'a jamais compris que je me sois consacré plus tard à la chanson. Pourtant, je considère que j'ai prolongé votre enseignement, dans mes récitals, où chaque geste compte et doit être naturel. Un récital de trente chansons, c'est comme une pièce de théâtre, avec des moments d'émotion, de rire, des temps où tout s'accélère, puis des pauses. Avec, surtout, une concentration de chaque instant, une mémoire en laquelle il faut avoir une confiance totale, et ce contact magnétique que l'on cherche avec le public, à tâtons dans la lumière des projecteurs. Albert Camus, qui était un grand metteur en scène, aurait, j'en suis sûr, perçu cette similitude. Voyez-vous, dans mon théâtre de chansons, je fais aussi appel aux poètes, de Baudelaire à Rimbaud, d'Apollinaire à Prévert, et j'essaie de dire leurs vers avec le lyrisme et cette foi dans les mots que vous m'avez enseignés.

Adieu, Maître. Si Dieu existe, j'espère qu'il a eu le bon goût de vous demander une représentation exceptionnelle de *Cyrano*. Et je vous imagine dans un décor de nuages, interprétant pour un parterre d'anges la tirade des «Non, merci!» et concluant par le fameux: «Ne pas monter bien haut, peut-être, mais tout seul!» Vous, tout seul, êtes monté au sommet du théâtre, le «paradis»...

Votre élève reconnaissant,
Serge Reggiani

À Michel Vitold

Cher Michel Vitold,

Toi aussi tu es parti sans prévenir, au début de l'été, rejoignant la file des amis disparus. Toi aussi tu me forces à accepter que nous ne vivions plus rien ensemble, et à ranger tout ce qui fut nôtre à la rubrique «passé». Toi aussi tu m'obliges à employer l'imparfait...

Eh bien! non. Non, Michel, je t'interdis de mourir. Je commande à cette Terre de cesser de tourner sans toi! Je refuse que tu partes; je t'écrirai comme si tu étais vivant. Et, comme on commence une lettre, je te demande: Michel, comment vas-tu? Comment vas-tu depuis la dernière fois que nous nous sommes vus, à ce vernissage où je présentais ma peinture? Tu m'as parlé, ce soir-là, de ta nouvelle passion à toi, avec une drôle de lueur dans l'œil: alors, comment va ta «copine»? N'en as-tu pas changé?

Ces jours-ci, j'enregistre. J'espère bien te voir à la première lorsque je remonterai sur scène. J'aimerais vraiment apercevoir ton nez busqué et ton regard perçant au premier rang. As-tu changé depuis la dernière fois? Sans doute non: tu es resté le même depuis notre toute première rencontre, à l'époque où tous les films étaient en noir et blanc, et certains même encore muets. Je te revois, ton « bada » juché tout en haut de ton crâne de Russkoff. Ne t'offusque pas : pour moi, « ruskoff » n'a rien de péjoratif. Je me sens moi-même plus rital qu'italien, et je m'en amuse pas mal. Pour nous, les exilés, la terre natale a une saveur particulière : plus on s'éloigne, plus elle est corsée, plus on se sent imprégné de sa patrie, ne serait-ce que dans le regard des autres, qui te font bien comprendre que tu n'es pas d'ici. J'ai quitté Reggio Emilia italien, je suis arrivé rital à Paris. À l'époque, tu possédais pour tout papier d'identité un étrange passeport qui portait, en plus de ton vrai nom, Sayanoff, la mention « apatride ». Corrige-moi bien vite si je me trompe, mais je revois comme si c'était hier ce bout de papier que tu nous montrais en riant. Dans ces années troublées, un signe aussi particulier pouvait valoir bien des ennuis ; et pourtant, n'est-il pas dans la nature des artistes d'être apatrides, citoyens du monde, soumis à la seule autorité de leur art ?

Nous avons fait connaissance au conservatoire des Arts cinématographiques, rue d'Anjou, où tu étais jeune professeur. Au concours d'entrée, il fallait « donner » une scène au choix. Je choisis de réciter un poème étrange, insensé. Le jury était presque unanime à vouloir recaler ce drôle de zigoto. Julien Bertheau insista pour qu'on me donnât une chance. De ton côté, tu te battais pour que je fusse reçu. Le Russkoff au secours du Rital, en quelque sorte... Le reste du jury s'inclina, à contre-cœur. Moins d'une année plus tard, j'obtenais deux premiers prix d'interprétation.

J'ai pris de toi, rue d'Anjou, des leçons précieuses qui m'ont permis de sortir premier de ce conservatoire, puis de tenter avec succès le concours d'entrée au «vrai» conservatoire, celui d'Art dramatique, et surtout de mieux travailler. Aujourd'hui encore, lorsque je tourne un film, quel qu'il soit, je me souviens des cours de Michel Vitold. Ton jeu et ton enseignement portaient une vraie signature. J'aime tant cette façon à toi de jouer la comédie, je la connais dans ses moindres détails, je suis capable de te reconnaître immédiatement. Derrière un jeu de mains anonyme de *Madame le Juge*, un film avec Simone Signoret, je t'ai deviné. Je savais que j'allais découvrir ton curieux nez busqué dès que le plan s'élargirait.

Je me souviens de ta fureur de n'avoir pas été reçu à ce fameux Conservatoire national. Pourtant, le jury a eu raison de te recaler : tu n'avais rien à y apprendre, tu étais un surdoué. J'avais beau te répéter que c'était là le seul motif de ton échec, tu persistais à croire qu'ils ne t'avaient pas jugé à la hauteur. Peut-être cette colère t'a-t-elle aidé à progresser encore, comme on relève un défi, à atteindre les sommets de ton art. Même si le cinéma n'a pas su toujours t'utiliser à ta juste valeur, tu as connu le succès dans d'innombrables rôles.

Sans doute l'Histoire se rappellera-t-elle que tu créas le rôle de Garcin dans *Huis clos*. Grâce à toi, on donna souvent à guichets fermés ce *Huis clos* dont rêvent tous les directeurs de théâtre. «L'enfer, c'est les autres», lançais-tu à la fin de la pièce. La réplique est devenue célèbre, et les bacheliers d'aujourd'hui la glissent dans leurs dissertations. Sacrée facétie, t'avoir fait prononcer cette phrase historique, à toi, si friand d'amitié, toi qui aimais tellement « les autres » !

Je me souviens encore qu'à l'Atelier, le si beau théâtre de la butte Montmartre que dirigeait à l'époque, après Charles Dullin, André Barsacq, tu tombais de tout ton long au milieu d'une scène, en arrière, raide comme une planche qui s'abat, dans un bruit impressionnant. Et tu te relevais sans une égratignure, sans un bleu. Du moins le public, dont j'étais, en avait-il l'impression... Il faudra que tu m'expliques un jour ton truc – s'il y en a un – car, même à nos âges, ça peut toujours servir. Je doute qu'André Barsacq fût à l'origine de cette cascade en direct. Moi, je suis un jour tombé – c'est le cas de le dire – sur un imbécile de metteur en scène à qui je dois deux hernies discales, une opération et tout le toutim. Je devais, en toute simplicité, réussir un simple, puis un double et enfin un triple saut périlleux entre un trapèze volant et un autre... Le film s'appelait *Une fille dangereuse*. C'était un petit événement, car il voyait le retour en Europe de Jean Gabin, après quelques années d'exil à Hollywood. Il jouait le rôle d'un chirurgien, et moi celui d'un trapéziste tombé de son instrument et condamné à porter une minerve. Je m'étais entraîné de longues semaines pour réussir cette difficile acrobatie, que nous devions tourner à... l'Olympia, transformé pour un jour en piste de cirque. Le triple saut était réalisé par un professionnel de la fameuse troupe des Codonas, habillé comme mon personnage et filmé de loin, mais il me fallait réussir le simple et le double, tournés en gros plans. J'exécutai le simple sans problème, et même un premier double, mais Brignone souhaita

70

réaliser une autre prise. Je rechignai, prétextant la fatigue, et parce que j'avais beaucoup attendu entre les prises. Hélas, il ne voulut rien savoir. Je suis donc remonté dans les airs pour me préparer, et je me suis lancé. Les trapèzes, tu l'ignores sans doute, sont faits d'une barre de plomb recouverte d'un papier spécial leur donnant l'aspect du bois, pour assurer une stabilité maximale. À cette époque, le second trapèze n'arrivait pas à hauteur du torse de l'acrobate, mais au niveau des pieds ; il fallait donc plonger pour l'attraper. Je suis bien parti dans les airs, j'ai tourné deux fois comme prévu, mais le second trapèze n'était pas au rendez-vous − du moins je ne l'ai jamais rencontré. Or, le metteur en scène avait poussé la stupidité jusqu'à refuser de tendre un filet, se bornant à disposer un tas de matelas sur le sol, quinze mètres plus bas. Par réflexe, je me groupai en boule. L'atterrissage fut tout de même rude...

En 1940, pendant la débâcle, nous avons partagé le même exode, Rital et Russkoff réunis encore pour l'exil, fuyant devant le nazisme. On n'aurait sans doute fait de cadeau ni au détenteur d'un passeport d'apatride ni au rejeton d'une famille antifasciste. Nous sommes donc partis à vélo sur les routes de France, direction plein sud, en compagnie d'un autre Rital, le peintre Casotti. Nous n'avons pas franchi la frontière ensemble, car tu as bifurqué en cours de route pour rejoindre ta famille, réfugiée à... Vichy. C'était vraiment te jeter dans la gueule du loup, puisque tu risquais de tomber nez à nez sur... le maréchal Pétain. Dans quelle bouillabaisse tu t'étais mis ! De mon côté, avec Casotti, poursuivis par des Allemands qui paraissaient nous suivre à la trace, nous avons fini par nous arrêter à La Châtre. À défaut de porter un nom glorieux, l'endroit était sûr. Les paysans du coin nous donnaient un peu de lard gras et de pinard. Nous étions planqués, attendant, comme des milliers de fuyards, que la chance nous sourît.

Le sort ne nous fut pas trop défavorable. Après la guerre, l'art reprit ses droits. Nous nous sommes brièvement retrouvés sur les planches – avec un autre de mes professeurs, Raymond Rouleau – pour *les Jours de notre vie*, de Léonid Nikolaiévitch Andréev, un Russe. C'était une pièce très noire, dont l'héroïne était une pauvre prostituée pour laquelle s'entre-tuaient quelques amoureux. Plus tard, tu es venu me voir à l'occasion de la présentation d'un film de Robert Enrico dans lequel j'avais joué. Tu m'attendais à la sortie de la projection, mais, quand je t'ai aperçu, je n'ai pas eu le réflexe de voler dans tes bras pour t'embrasser et te remercier encore. Je me suis rattrapé en t'invitant à chacune de mes premières, au music-hall. Lors d'un de mes derniers récitals, tu m'as confié que tu n'avais que soixante-douze ans, alors que moi, qui avais bien mordu dans la soixantaine, j'avais été ton élève. Je dois t'avouer que je ne t'ai pas cru. Encore aujourd'hui, je pense que tu as cinq ou six ans de plus que tu ne le prétends, même si tu es toujours assez en forme pour te rajeunir.

Cher Michel, je sais que tu as beaucoup de travail, mais, puisque c'est au plus vivant des vivants que j'écris cette lettre, j'aimerais que tu passes un

de ces jours à la maison me parler de ta prochaine
«copine», de tes projets de films. De Russkoff à
Rital, tu me dois bien cette petite visite. Je te la ren-
drai avec plaisir, de Rital à Russkoff, là où tu auras
la gentillesse de m'attendre. D'ici là, je t'embrasse
avec toute la force de ma reconnaissance.

Ton élève et ami,
Serge

Simone, très chère Simone,

Oserai-je t'avouer que je suis heureux et fier de t'avoir eue pour amie et pour partenaire ?

Notre premier film commun, tu l'as sans doute oublié : nous nous sommes à peine croisés sur le tournage. Dans ce *Voyageur de la Toussaint*, de Louis Daquin, je devais interpréter le rôle principal, mais c'est Jean Desailly qui fut finalement choisi, et je dus me contenter du rôle d'un petit voyou. Toi, mêlée à la foule des figurants, tu t'appelais encore Simone Kaminker. Comment aurions-nous deviné alors nos vies, nos futures rencontres devant la caméra, et notre amitié, au soleil de la Colombe d'Or ?

Vint *la Ronde*, de Max Ophüls. Nous jouions toute une scène ensemble. J'incarnais un militaire – comme tous les héros de ce film – et nous vivions une insolite aventure, qui se terminait par une scène d'amour debout sous un porche. Puis je te «quittais» pour Simone Simon – une seconde passade, en chambre celle-là. J'étais très heureux, déjà, de jouer avec toi, car je t'avais admirée dans *Manèges*, qu'Yves Allégret, ton mari, avait tourné.

Il y eut enfin *Casque d'or*, de Jacques Becker. Comme l'a écrit François Truffaut, le film racontait «un petit homme et une grande dame, un petit chat de gouttière tout en nerfs et une belle plante carnivore qui ne crache pas sur le fromage». Les producteurs ne voulaient pas de moi; ils cherchaient, pour jouer le rôle de Manda, un jeune premier – ce que je n'ai jamais été. Mon aspect taciturne et râblé les effrayait. Jacques Becker et toi avez tant insisté qu'ils ont fini par céder. Je ne t'en remercierai jamais assez: si j'ai une petite chance de laisser une trace dans l'histoire du cinéma, c'est à ce rôle que je le dois. Un jury n'a-t-il pas désigné *Casque d'or* troisième meilleur film français de l'histoire, après *les Enfants du Paradis* et *Le jour se lève*, deux œuvres du trio magique formé de Jacques Prévert (scénario), Marcel Carné (réalisation) et Alexandre Trauner (décors)? Un autre l'a classé cinquième meilleur film de tous les temps; j'ai reçu à cette occasion, voici quelques mois, un superbe trophée doré et ondoyant comme ta chevelure. Hélas, de tous ceux qui ont connu l'aventure de *Casque d'or*, en 1951 – Jacques Becker, Claude Dauphin, Raymond Bussières, toi... –, il ne reste plus que Roland Lessaffre, moi-même et Loleh Bellon, l'épouse de Claude Roy. Elle incarnait la fille du charpentier, joué avec finesse par Gaston Modot, et Manda était en quelque sorte son fiancé officiel. Loleh s'est depuis lancée avec succès dans l'écriture théâtrale. On vient de créer une de ses pièces, voici quelques semaines, *la Chambre d'amis*.

Recruté pour jouer Manda l'Apache, je passai la visite médicale chez le docteur Guillaumin, pour satisfaire aux exigences des assureurs du film, qui ne tenaient pas à voir le tournage interrompu par un arrêt-maladie. Hélas, je souffrais alors d'une légère fracture du péroné gauche, masquée par un plâtre discret. Le docteur Guillaumin avait l'habitude, charmante au demeurant, de raccompagner ses patients jusqu'à la porte. Mais son cabinet était au troisième étage. Je compris, avec horreur, qu'il me faudrait sans doute descendre l'escalier en boitant, sous ses yeux. Terrifié, je préférai attendre immobile sur le palier qu'il eût refermé sa porte, pour pouvoir claudiquer à mon aise en me tenant à la rampe.

La série de scènes que Jacques Becker souhaita tourner en premier comprenait les fameuses valses du début du film, dans la guinguette de Joinville. Comment danser la valse avec une jambe dans le plâtre, le bras gauche bien raide le long du corps, comme le voulait la mode de l'époque ? J'aurais pu compter sur toi et me laisser guider, mais ce fut impossible. Déjà fort amoureuse d'Yves Montand, qui tournait alors, dans le Cantal, *le Salaire de la peur* de Clouzot, tu t'échappais à la première occasion pour le rejoindre, séchant consciencieusement nos leçons de valse. Sur le plateau, tu t'en remettais... à moi ! Heureusement, ta robe longue cachait tes pieds qui, en réalité, touchaient à peine le sol : je te portais littéralement de mon seul bras droit, et nous tournions, tournions... C'est sans doute pour cette raison que Manda à l'air si raide et si digne !

Jacques Becker, qui avait été l'assistant de Jean Renoir, avait conservé de son apprentissage auprès du «maître» quelques tics de mise en scène. Ainsi, pour nous conseiller, il nous disait simplement :

«Tu vois, hein? Tu vois?» Et nous «voyions» sans avoir besoin de plus longues explications. En plus d'une large «fâche» autour de la taille, je portais, comme tous les charpentiers de l'époque, une grosse moustache noire, alors que tous les autres personnages arboraient une fine moustache de faux dandy vrai voyou. Eh bien! les critiques trouvèrent que l'on m'avait affublé d'un postiche ridicule. C'était d'autant plus injuste qu'il s'agissait de mes propres poils! Plusieurs fois, le soir, la maquilleuse était venue me réclamer ma moustache pour la ranger avec les autres; comme j'avais refusé en riant, elle racontait partout que j'étais fou au point de vouloir dormir avec mon postiche! Aujourd'hui, je porte une barbe bien blanche qui me donne une face d'écrivain. Couvert d'une toge, je suis Platon plus vrai que nature, garanti pure Grèce antique. Heureusement que mon éditeur n'essaie pas de me l'arracher pour la nuit!

À sa première sortie en France, *Casque d'or* fut un four. Depuis, j'ai compris pourquoi: le public attendait un «polar», un film noir restituant l'atmosphère de la Belle Époque, mais avec du suspense et de la violence. Or, *Casque d'or* était une histoire d'amour. Le salut est venu des États-Unis, où le film a d'emblée remporté un vif succès, tout comme en Grande-Bretagne, où tu reçus, en 1953, le prix de la British Film Academy. L'accueil américain a réveillé l'intérêt du public français, qui est retourné voir le film d'un autre œil, à la seconde sortie. Le mythe commençait...

Nous avons tourné un autre film ensemble, celui de Roger Pigaut, *Comptes à rebours*. Encore une histoire de voyous... Un jour, le producteur, qui portait le nom prédestiné de Lépicier, était venu sur le plateau. Dans la scène que nous devions tourner, tu réunissais notre groupe de malfrats pour faire le point sur le butin à partager, ou quelque autre crapulerie. Tu devais marquer un temps d'arrêt en cherchant dans ta mémoire le nom de l'assureur que nous avions pillé, et je te soufflais alors : «Valberg.» À la fin de la scène, Lépicier est venu me voir et m'a dit à voix basse, en te regardant du coin de l'œil : «Elle aurait pu apprendre son texte.» Chacun son métier : quand on s'occupe d'argent, mieux vaut ne pas trop se mêler d'art. Lépicier avait-il lu le scénario ?

Nos œuvres communes, comme on dit en littérature, en sont restées là. En 1964, nous avons failli jouer à nouveau ensemble : Jean-Pierre Melville nous avait choisis pour *le Deuxième Souffle*, mais ne tourna le film qu'en 1966, avec mon ami Lino Ventura et Christine Fabrega. Heureusement, nous n'avions pas besoin des plateaux de cinéma pour continuer à nous voir : les récitals d'Yves Montand, les soirées entre amis et les étés à Saint-Paul-de-Vence étaient de meilleurs prétextes. Nous avons partagé d'innombrables repas sur la terrasse de la Colombe d'Or, protégés du soleil infernal par d'amples parasols blancs, isolés du monde. Nous avions l'impression d'être dans une bulle, bercés par le chant lancinant des cigales, dégustant l'amitié – et les mets du patron...

Amoureux, comme vous et comme tant d'autres, du petit paradis provençal, j'avais entrepris de construire une immense maison dans la campagne près de Mougins. Hélas, bientôt je n'eus plus d'argent pour payer l'architecte et l'entrepreneur, et les travaux s'interrompirent. Nous ne roulions pas sur l'or, à l'époque; ou plutôt, nous dépensions sans compter: cet or nous filait entre les doigts. Yves Montand et toi êtes venus me soustraire à mes tracas pour m'emmener déjeuner à la Colombe d'Or. La conversation papillonnait d'un sujet à l'autre: les enfants, les amis, le travail, untel qui est mort, un autre qui tourne à Hollywood, un troisième qui en revient, les chansons qui s'écrivent et les films qui se tournent. Nous étions insouciants et heureux, ravis d'être réunis dans ce lieu. Soudain, tu m'as demandé des nouvelles de ma maison. Je t'ai répondu que tout allait très bien. «Tu es sûr?», as-tu ajouté en me regardant dans les yeux. «Oui, oui...», ai-je continué sans grande conviction, pour écarter le sujet. Ma réponse devait sonner bien faux, car tu m'as immédiatement pris la main et m'as demandé: «Serge, combien te faut-il pour la terminer?» À travers ma mémoire opaque, je crois me rappeler que la somme en question était de trois cent mille francs – ce qui était colossal. Tu n'as pas hésité une seconde et, sous les yeux de Montand qui souriait, goguenard, tu m'as signé un chèque. Lui s'est contenté de dire: «C'est ton fric, après tout.» Le surlendemain, les travaux avaient repris. Je pus même construire, sur ce terrain de dix hectares, en plus de ma maison, une maisonnette pour les gardiens et une petite demeure pour mes parents. C'est ton amitié généreuse qui a sauvé mon chantier, et chaque minute de bonheur passée dans cette maison, c'est un peu à toi que je la dois.

Quoi qu'aient pu penser et dire nombre de gens, il n'y a jamais rien eu entre toi et moi, si ce n'est

80

une très franche et très pure amitié. Et, surtout, une telle complicité sur les plateaux qu'il nous suffisait d'un regard pour comprendre comment jouer la scène à venir. Tu étais follement amoureuse de Montand, qu'il était hors de question d'appeler «Yves», puisque tu avais été mariée, déjà, à Yves Allégret. Et comme personne ne lui avait trouvé de surnom satisfaisant, tout le monde l'appelait «Montand». Tu l'aimais tant que l'on pouvait sans crainte évoquer devant toi les femmes avec lesquelles il avait eu des «passades». Même Marilyn Monroe n'était pas sujet tabou. Un seul nom était proscrit : celui d'Edith Piaf, qui avait été avant toi le grand amour de Montand, et dont tu ne supportais pas l'évocation. Elle était infiniment moins belle que toi, avec son corps malingre et son petit visage. Tu étais même son exact opposé, toi la blonde au physique épanoui et radieux. Et c'est de là, justement, qu'était née ta haine de Piaf : tu avais compris qu'entre Yves et elle, il n'y avait pas eu seulement une relation charnelle, une «sensation forte» comme il en connut au cours de ses brèves incartades. Non, ce qui les avait liés, tu le savais, était plus secret, et relevait presque du «magnétisme». Et cela était difficile – impossible – à admettre.

Très chère Simone, je pense souvent à toi. Je pense à toi quand j'entre dans une librairie et que je vois une photo de Jorge Semprun, avec sa crinière blanche et son beau visage buriné, lui qui était un peu votre maître à penser. Je pense à toi quand je regarde un film la nuit et que ton visage apparaît à l'écran – les figures lisses et sans caractère de centaines de stars d'aujourd'hui supportent

81

mal la comparaison. Je pense à toi quand je croise dans la rue une jeune fille aux longs cheveux blonds dont la beauté illumine une seconde Paris devant moi, et qui mériterait à son tour le nom de Casque d'or. Je pense à toi, enfin, quand un rire éclate près de moi. Il n'égale jamais le tien, mais il me le rappelle soudain. Ton rire était franc, ouvert, gorgé de vie et de soleil. Une vie qui n'a pas toujours été tendre avec toi. Et, si l'actrice a grandi avec l'âge, la femme, au fil des années, est devenue Casque d'argent, Casque de platine... Simone, combien je t'ai aimée...

Ton Manda

À Yves Montand

Cher Montand,

Nous nous connaissons depuis bientôt cinquante ans, depuis le tournage des *Portes de la nuit*, de Marcel Carné. Cela, me semble-t-il, me donne le droit de t'appeler Yves. Pour le public, néanmoins, tu resteras Montand. Cette ellipse de ton prénom au seuil de la postérité, c'est le signe de ta réussite : qui se souvient que Coquelin se prénommait Constant, que Mounet-Sully s'appelait Jean et Raimu Jules ? Au sommet de ta carrière, les producteurs inscrivaient en haut de l'affiche, en grosses lettres : MONTAND. C'était la meilleure publicité.

Cher Yves, tant de choses nous différencient, et tant d'autres nous rapprochent. Nous sommes tous les deux italiens, et nous avons tous les deux fait carrière en France. Tu es né en 1921, moi un an plus tard, et toi comme moi avons fait du cinéma et de la chanson. Mais Ivo Livi est devenu Yves Montand, un grand gaillard élancé et hâbleur, tandis que Sergio Reggiani est resté Serge Reggiani, un petit gars râblé, un rien taciturne. Tu as débuté dans la chanson, avant de venir au cinéma ; j'ai commencé par les tréteaux des théâtres avant d'affronter ceux du music-hall, où ton exemple m'a encouragé. Mais n'avons-nous pas partagé l'essentiel, cet amour de l'art et du soleil, cette passion pour notre métier et ce goût du Sud qui nous fait respirer soudain plus à l'aise lorsque le paysage s'égaye d'oliviers et de ciel bleu, que l'air s'adoucit et prend une certaine saveur ? Il paraît qu'être né en Italie est un atout pour chanter : ce n'est ni à toi ni à moi d'en juger, mais je veux croire que notre sang de Ritals nous aide à pousser la note juste et à trouver l'émotion qui fait les grandes chansons.

En 1946, quand j'ai joué dans *les Portes de la nuit*, c'est Jean Gabin que j'aurais dû avoir pour partenaire. Il a renoncé et t'a ainsi permis de faire tes grands débuts à l'écran. Ou plutôt tes petits débuts, car, tu l'admettras toi-même avec humour, tu avais encore tout à apprendre du métier d'acteur. Tu disais : « Écouteu, maumeu » pour : « Écoute, môme ». Ton jeu sentait encore bon le soleil de Marseille, ton accent pointait sans crier gare, comme dans tes chansons de l'époque, et ruinait tes efforts. On se croyait sur le Vieux Port et non dans un coupe-gorge interlope ! Cependant ta silhouette était déjà là, un peu raide mais élégante, avec ce port de tête si particulier qui te fut précieux dans de nombreuses interprétations. Dans *les Portes de la Nuit*, tu n'étais pas encore Montand, mais tout Montand était déjà là, prêt à s'épanouir : déjà Yves perçait sous Ivo...

Ce grand « cabot » charmeur dont tu faisais un personnage savoureux devant les caméras ne cessait pas totalement de fanfaronner une fois les projecteurs éteints. Je me souviens de la visite que

Charlie Chaplin fit à Saint-Paul-de-Vence. Charlot fut reçu en roi à la Colombe d'Or. Les flashes crépitaient. Dans la foule qui se pressait autour de lui, un grand escogriffe jouait des coudes pour être dans le champ des photographes. C'était toi, et ta grande carcasse n'avait pas de mal à s'imposer à côté de la silhouette fluette de Chaplin. Mais très vite, tu n'as plus eu besoin de ruser : ce fut toi que les photographes voulurent piéger dans leur viseur.

Simone Signoret, à l'époque où je tournais *Casque d'Or* avec elle, aurait tout aussi bien pu s'appeler « Cœur d'Or », tant elle était charmante, et ce cœur battait déjà pour toi : elle ne manquait pas une occasion d'aller te rejoindre dans le Sud, où tu tournais également, avalant des centaines de kilomètres pour quelques instants auprès de toi. Pendant ce temps-là, l'équipe de *Casque d'or* travaillait sans son héroïne... Des années plus tard, elle m'a traîné à l'Olympia entendre et voir l'un de tes récitals. Si je rechignais quelque peu à l'accompagner, ce n'était pas, rassure-toi, faute de t'admirer. Au contraire : j'étais déjà venu deux fois... Mais j'ai dit oui : elle était si heureuse de montrer à tous ses amis quel talent était le tien ! Et il était manifeste, ce talent, car tu chantais avec tes mains, avec ton sourire et tes yeux mi-clos autant qu'avec ta voix. Chaussures à claquettes, chemise beige, gilet beige, chapeau claque sur la tête et canne à la main, ta silhouette est dans toutes les mémoires.

Cette présence, sur la scène du music-hall comme sur les plateaux de cinéma, c'est ton travail qui te l'a apportée. C'est aussi le travail qui t'a tué. Jusqu'au bout, tu t'es donné au cinéma, jusqu'à l'ultime journée de ta vie, et ton cœur, comme une caméra, s'est arrêté entre deux prises, un peu comme si la vie avait crié : « Coupez ! » Ce jour-là, un morceau de notre époque a disparu : « Montand, c'était *notre* temps », ont pensé tous ceux qui t'aimaient.

À tous, tu manques beaucoup, mais je pense d'abord à ton petit Valentin. Ton bonheur était immense lorsque t'est né ce fils que tu avais tant désiré, et qui t'avait fait rajeunir. Quel souvenir gardera-t-il de toi ?

Nous autres, nous ne t'oublierons pas, car tu as su inventer un style bien à toi, une école Montand. Pour tous ces instants de joie, je te remercie du fond du cœur et du lointain de cette lettre.

Tanti bacioni da Sergio

À Carine

Ma Carine
Ma douce
Ma rousse
Mon impatiente
Mon innocente
Ma rieuse aux éclats
Mon cordon-bleu
Ma très grande
Mon amoureuse de Jean-Paul
Mon amoureuse de Damien
Ma trottineuse
Ma travailleuse
Mon enfant
Mon infante de campagne...

Tu ne sais pas combien je t'admire, en tout absolument.

Tu as le don de résister à tous les maux, à ces malheurs qui viennent pas à pas, auxquels on succombe de guerre lasse sans rien laisser paraître.

Ma voix à travers la tienne se sublime, ma rieuse aux éclats, quand les amis sont là et que ta joie les contamine.

Tu m'as reproché mon «autorité», du temps où tu étais enfant, cette drôle d'autorité qui t'effrayait. Sans doute avais-je besoin de me rassurer, car je suis plus timide encore que toi.

Tu es née en Angleterre, alors que je tournais *The Secret People*, une histoire d'espions. Un soir, on est venu m'avertir que j'étais papa, et qu'une petite fille avait déboulé dans ma vie. C'était toi, ma Carine. Dans les premiers temps, ta mère et moi étant trop occupés, c'est un certain Lindsay Anderson qui te servit de nounou. Il faut croire que tu lui portas bonheur, puisqu'il a ensuite décroché la Palme d'or à Cannes, avec son film *If*. Mais à qui ne porterais-tu pas bonheur, puisque tu en débordes ?

Je t'ai donné la vie et tu me l'as rendue en m'accueillant dans ta maison magique après mon adieu à l'alcool, en nourrissant mon corps et en désaltérant mon esprit. Jean-Paul m'a enseigné la perspective en peinture, et tu m'apprends la perspective dans la vie. J'ai besoin désormais de caresser ta joue et tes cheveux rouges, d'être réveillé par ta voix qui me retient à la vie et m'empêche de la quitter, comme j'ai voulu le faire par deux fois. Je vais peindre pour toi un tournesol, un grand tournesol, un tournesol géant, grand comme le soleil, grand comme la vie, grand comme ton cœur.

Re-bonjour et re-bonne nuit
Ma faiseuse
Ma belle aventure de papa
Ma belle aventure de pépé
Ma soigneuse

Ma régisseuse
Re-bonne aventure
Ma laveuse de carreaux
Ma tireuse de grands fauteuils
Belle comme la maison
Que je n'ai pas construite.

Ma fille.

Pépé Serge

À François Perier

Mon cher François,

Quand nous étions jeunes, nous avons beaucoup joué, t'en souviens-tu, à désigner quel était le meilleur acteur de notre génération. Dans ce choix délicat, nous balancions entre Michel Bouquet, Michel Auclair, Michel Piccoli (que de talents pour un même prénom !) et d'autres garçons de même pointure. Pour l'Oscar de la meilleur actrice, nous hésitions entre Maria Casarès et Suzanne Flon. À considérer aujourd'hui le parcours de ces vedettes en herbe, nous n'avons pas à rougir de notre flair ! Sans forfanterie, sans ambition déplacée ni jalousie pour ces acteurs qui étaient aussi nos amis, ce petit jeu nous amusait beaucoup, et je suppose qu'il n'amusait que nous...

Aujourd'hui, j'ai choisi. Je crois savoir qui est le meilleur acteur de notre génération. Et je penche pour un certain François Pillu, que le public connaît sous un autre nom. Tu vois lequel ?

Il était temps que j'arrête mon choix, que je te décerne pour l'éternité ces lauriers de l'amitié. Nous avons franchi tous les deux les septante ans. Nous avons joué plus de rôles que nous n'en jouerons encore. La mort attend, avec, je crois, une certaine impatience, que nous tendions le cou vers elle, et, même si nous pouvons encore espérer un sursis de dix ans, il m'est douloureux de penser à notre dernier salut, à nos derniers bravos. Après l'ultime ovation, plus de rappels ; et les coulisses sont bien ténébreuses... Vois-tu, je ne suis pas croyant ; il est donc hors de question, pour moi, d'imaginer un enfer, un purgatoire, et encore moins un paradis. Le seul enfer que j'aie connu, tu l'as fréquenté aussi : le trac. Et je ne te parlerai pas de cet autre enfer qu'est la perte d'un enfant : le grand malheur de ta vie est aussi le mien. Ne peut nous comprendre celui qui n'a vécu ce drame.

Ce n'est pas par hasard que je te décerne le titre de meilleur acteur de notre génération. Tu n'avais pas vingt ans quand tu as débuté au Théâtre Michel, en avril 1938, dans *les Jours heureux*, de Claude-André Puget – auteur oublié aujourd'hui. Encore dans toutes les mémoires, et à mon avis inoubliable, est ta prestation dans *Bobosse*, d'André Roussin. La pièce m'avait semblé ordinaire, mais tu la transformas en un boulevard irrésistible. Le rideau s'ouvrait, et tu étais la tête en bas, à faire le poirier. Je sais que tu as joué Bobosse mille cinquante-trois fois, et que tu as donc fait mille cinquante-trois fois le poirier sur scène ! Mais ta prestigieuse carrière est riche de bien d'autres exploits. Tu as campé nombre de rôles ardus, et les personnages sartriens auxquels tu donnais vie n'étaient pas des plus faciles. Tu fus Hugo dans *les Mains sales* en 1948, et je ne peux oublier ta prestation dans *le Diable et le Bon Dieu*, en 1970. Pourtant, tu as hésité à t'embarquer dans cette aventure, tant la pièce de Sartre était imposante et échevelée, effrayante pour le comédien. Elle avait été créée par Pierre Brasseur; il fallait du culot pour s'attaquer à ce monument. Te souviens-tu de notre dialogue de l'époque?

— Ce serait de la folie, m'avais-tu dit au téléphone.

— Lis donc la pièce cette nuit et rappelle-moi demain matin.

— Demain, j'appellerai Sartre.

— Non, tu m'appelleras moi, chez moi, et je donnerai ta réponse à Sartre.

La nuit a porté conseil. Tu m'as donné ta réponse le lendemain matin: c'était un «oui» qui laissait transparaître ton inquiétude. Tu étais déjà mort de trac à l'idée de jouer ce chef-d'œuvre. Le résultat a été au-delà de tes espérances. Pour ce seul rôle, tu mérites le titre de meilleur acteur de notre génération. Moi aussi, j'ai eu «mon rôle» écrit par Sartre, et le plus marquant, sans aucun doute, de ma carrière de comédien: celui de Von Gerlach dans *les Séquestrés d'Altona*. Je n'oublie pas, François, que c'est toi qui nous avais alors mis en scène au Théâtre de la Renaissance, et que c'est à toi que je dois une grande partie du succès des *Séquestrés*. Quelles heures nous avons vécues, l'un et l'autre, à donner chair aux personnages de Sartre, à porter la parole de l'auteur!

De tous les rôles de ta vie tu as fait un livre, un excellent bouquin que tu as appelé *Profession menteur*[1]. Pour une fois, mon cher François, je ne suis pas d'accord avec toi. Ce titre ne peut être

—————

1. Le Pré aux Clercs, 1990.

qu'une boutade, une pirouette. On s'investit dans un rôle aux quatre cinquièmes. Il n'y a place, si l'on peut dire, que pour 20 % de mensonge dans notre métier. Tout le reste est sincérité, authenticité. Les vrais acteurs, les grands acteurs – et tu en es – se fondent dans leur personnage au point de ne jamais tromper leur public. François Perier menteur? Oui, quand il est trop modeste pour avouer son talent. Non, quand il entre en scène. Sur les planches, ta devise, c'est «Profession acteur»: tu es scrupuleux, attentif, méticuleux, en un mot professionnel!

C'est à la ville, plutôt qu'à la scène, que nous nous faisons menteurs, 100 % menteurs, pour ajouter un peu de drôlerie à la vie. Un jour, Noëlle et moi t'avons ainsi invité à dîner, avec ton épouse Colette, chez Laurent, un restaurant parisien où la carte n'est composée que de mets hors de prix. Pas vraiment une cantine pour acteurs aux poches trouées... «Décidément, tu es vraiment fou!» m'as-tu dit, simplement, en découvrant les lieux. Le maître d'hôtel nous a installés dans un salon particulier, puis a fait défiler devant nos yeux ébahis une cascade de caviar, une cohorte de homards, un régiment d'ortolans... Mais la plus grande surprise était pour la fin: sans demander l'addition, sans laisser un seul centime derrière nous, nous sommes partis par la grande porte avec les courbettes de tout le personnel... Tu avais l'air, mon cher François, d'Ali Baba sortant de la caverne au trésor! La clef du mystère était pourtant toute simple: mon sésame se nommait Ginette, femme d'un certain Jimmy Goldsmith, lui-même propriétaire du restaurant en question. J'étais ravi de te jouer ce bon tour, et plus ravi encore de t'offrir au passage un dîner de rêve, de partager avec toi, Colette et Noëlle, un moment inoubliable.

De rôle en rôle, tu es arrivé en 1979 à *Coup de chapeau*, mis en scène par Pierre Mondy. J'ai vu deux fois la pièce, et deux fois je suis resté après le tomber du rideau pour aller te saluer et te donner à mon tour un « coup de chapeau » bien mérité. La première fois, je suis venu jusqu'à ta loge, mais tu étais en conversation avec ta vieille copine Jany Holt, et j'ai pris discrètement congé. La seconde fois, au bras de Noëlle Adam-Chaplin, ma compagne de presque toujours, je t'ai attendu dehors, à deux pas de la sortie des artistes. Quand tu as paru, nous t'avons embrassé et vigoureusement félicité, mais tu semblais gêné, et tu as prétexté un rendez-vous au proche Café de la Paix pour t'éclipser au plus vite. Ce n'était pas là le François Perier chaleureux que je connaissais depuis tant d'années, et j'ai vite compris pourquoi. Dans *Coup de chapeau*, tu interprétais un personnage brillant et dynamique, les traits jeunes et le ventre plat. Mais, loin des projecteurs, démaquillé, la fatigue avait accusé tes traits. Tu le savais, et préférais fuir les regards...

Je te revois encore, cher François, t'éloigner dans la nuit, le dos voûté, la démarche lourde et pesante. Il n'y a aucune honte à payer ainsi le prix de ses efforts, à paraître « vidé » en coulisses parce que l'on a tout donné sur les planches. Sans doute est-ce la rançon de la gloire, mais c'est aussi la fierté de notre métier. Seuls les « tricheurs professionnels » s'économisent sur scène. Tu es bien placé pour savoir que *les Séquestrés d'Altona* m'ont fait perdre huit kilos, que ma doublure n'a tenu qu'une petite semaine, et que, quand il a repris le rôle, le meilleur acteur du théâtre italien, Albertazzi, s'est effondré au bout d'une dizaine de jours.

Un soir de grande fatigue, avant d'entrer dans ma loge pour me maquiller – et non à la sortie de scène –, j'ai voulu téléphoner à ma compagne. J'ai demandé un jeton de téléphone au bistro du coin, me suis approché du taxiphone... et suis resté pétrifié, le combiné en main, bouche ouverte : impossible de me souvenir de mon propre numéro. J'ai fermé les yeux, essayant de me concentrer, mais rien à faire : il ne me revenait en mémoire que des tas de chiffres inutiles – plaque d'immatriculation, compte en banque, sécurité sociale... Mon cerveau était « comme de la sauce blanche », eût dit Boris Vian. Je me suis souvenu, enfin, d'un numéro utile : celui de Roger Pigaut. Et ce cauchemar d'amnésique m'a tant frappé... que je me souviendrai toujours de ce numéro-là : Bagatelle 57 27 ! J'ai donc appelé Roger... pour lui demander le numéro de téléphone de Serge Reggiani. Il a d'abord pensé que c'était une plaisanterie, la ruse d'un curieux qui voulait se procurer mon numéro. J'ai dû lui siffler notre vieil air de ralliement, une mélodie secrète que seuls lui et moi connaissions, et qu'heureusement je n'avais pas oubliée. Roger comprit que mon S.O.S. était authentique et put me dépanner, non sans me conseiller : « Prends un peu de repos. » Ce que je fis.

Je me souviens de t'avoir un jour rendu visite pour t'apporter un cadeau, témoignage d'amitié : c'était un petit visage en céramique, la copie d'un masque de la commedia dell'arte, expressif et grimaçant, plein de bonheur simple, de joie de vivre. Tu l'as regardé longuement, tu l'as tourné et retourné dans tes mains, tu l'as caressé, et tu m'as dit : « Dieu que les rides de ce visage muet me racontent de choses... »

Nous avons donné notre vie au théâtre, mon cher François, nous l'avons brûlée en brûlant les planches, le trac nous a rongés, mais, si nos corps sont usés au bout de cette vie d'artiste, le plus important aura été fait.

Je t'embrasse fortissimo,

Serge

À Jean-Paul Sartre

Cher Jean-Paul Sartre,

Ils étaient des centaines et des centaines. Beaucoup étaient jeunes. Ils progressaient lentement dans les rues de Montparnasse. Une foule de pèlerins ? Non, un cortège funèbre. Un attroupement s'est formé boulevard Edgar-Quinet, tandis qu'on vous portait en terre. Tout près de l'entrée principale du cimetière Montparnasse, le défilé de vos admirateurs, et de tous ceux qui vous avaient respecté sans toujours vous approuver, a commencé. Certains venaient saluer le philosophe, d'autres pleuraient le dramaturge ou le romancier, d'autres encore voulaient dire adieu au militant des causes justes. Hommage d'une nation qui a toujours aimé ses intellectuels, hommage d'un peuple qui sait la valeur des idées. Aujourd'hui, une pierre sobre habille cette tombe où vous a rejoint Simone de Beauvoir, et plus d'un passant s'y arrête encore.

De votre vivant, vous déjeuniez souvent à quelques pas du cimetière qui serait le vôtre, à la Coupole, hall de gare bruyant et animé, fourmilière parisienne, assemblée d'artistes, d'hommes politiques ou d'affaires, de journalistes, de midinettes et d'étudiants. «Jadis, à la Coupole, il y avait des peintres. Maintenant, il n'y a plus que des cadres», a ironisé Pierre Desproges. C'est assez juste... Le temps est loin où l'on pouvait, d'une table à l'autre, heurter Camus, saluer Cocteau et vous apercevoir. À l'époque, vous déjeuniez souvent en compagnie de Madame Vian. Non pas Ursula Kubler, mais Michèle, la première épouse de Boris.

Boris Vian avait énormément d'esprit – je peux en témoigner : j'ai chanté ses textes si drôles à mes débuts – et, sans la maladie de cœur qui l'a emporté, il aurait longtemps encore distillé ses petites gouttes d'humour aux dépens des uns et des autres. Il vous avait déguisé en «Jean-Sol Partre». Dans ce «sol», je ne voyais pas le plancher des vaches, car vous n'aviez pas vraiment les pieds sur terre, mais plutôt la note de musique, dont la clef est une arabesque élégante plantée au début de la portée. Vous qui avez si longtemps donné le «la» de la vie intellectuelle française, il me plaît que Boris ait transformé votre nom pour y glisser la clef de voûte de la notation musicale. Jean-Sol-Partre...

Il y a quelques années, au hasard d'un *zapping* nocturne, je suis tombé sur une émission télévisée consacrée à votre œuvre. Que de stupidités proférées, devant moi, dans la «petite boîte à ordures», comme eût dit Francis Ponge ! Des invités, qui semblaient ne vous avoir jamais connu, vous façonnaient une personnalité à partir de leurs lectures, et chacun interprétait vos livres à sa guise. Seule Madame Vian sut demeurer émouvante et juste. À l'écouter, on devinait combien elle avait été proche de vous ; elle connaissait le Sartre dont tous les autres, Trissotins de la philosophie, avaient été privés. Je me suis remémoré le poème de Jacques Prévert, que j'ai eu le plaisir de dire sur scène : « Il ne faut pas laisser les intellectuels jouer avec les allumettes... » Il ne faut pas non plus les laisser jouer avec la télévision, ni, surtout, avec la mémoire des disparus. Capables, à titre posthume, de transformer un benêt en grand homme, ils peuvent à l'inverse réduire un philosophe à un fatras de concepts. Sur le plateau de cette même émission de télévision était venu Jean Cau, qui ne fut votre secrétaire que pendant un an. Vous l'aviez congédié ensuite, sans doute n'aviez-vous rien à dire.

Comme il est facile de déformer une pensée, une thèse, une opinion, quand son auteur n'est pas là – ou plus là – pour la défendre et s'expliquer. Ce quarteron d'intellectuels de quatre sous décortiquait, dans un charabia prétentieux, votre rejet de Freud et de la psychanalyse, en prenant prétexte d'une de vos phrases : « Si vous êtes fou, adressez-vous à un psychiatre. Et que l'on vous enferme si besoin est ! » Les imbéciles ! Ils n'avaient pas compris la boutade ! Vous étiez bien trop lucide pour ne pas mesurer l'ampleur de la découverte freudienne. Simplement, la psychanalyse ne vous intéressait guère, et vous préfériez consacrer votre précieux temps à d'autres tâches. En voyant ces « intellos » vous arracher patiemment à votre piédestal, tout en criant au génie, je songeai à votre insulte préférée, que vous n'auriez pas manqué de leur lancer si vous aviez pu apparaître, spectre existentialiste, au milieu du plateau de télévision : « Vous êtes des chiens, vous êtes tous des chiens ! »

À la grande époque, vous habitiez rue de Rennes avec Simone de Beauvoir. Vous travailliez très souvent ensemble, comme des écoliers, le frère et la sœur, faisant leurs devoirs au retour de l'école. Il y avait dans votre salon une assez longue table. Vous vous installiez chacun à un bout, sous la lumière tremblante de la lampe, chacun avec ses livres, ses notes et ses brouillons. Ainsi, vous pouviez échanger vos idées et vos écrits page après page, vous critiquer ou vous conseiller l'un l'autre. Que de phrases ont dû voir le jour en commun, d'un bout à l'autre de cette table ! Que d'ouvrages sont nés de cette union de deux cerveaux !

Vous avez refusé le Prix Nobel de littérature. On a dit que c'était là une coquetterie de diva, que vous escomptiez une plus grande publicité en refusant le prix qu'en l'acceptant, que vous n'aviez pas supporté qu'on l'attribuât d'abord à Camus, quelques années plus tôt. Mais la vraie raison de votre refus était bien plus noble et plus juste : vous aviez remarqué que jamais le prix Nobel de littérature n'avait été remis à un auteur marxiste. Jamais. Ce n'était donc pas le Nobel de littérature, mais le Nobel de littérature capitaliste. Même Bertolt Brecht, qui l'a cent fois mérité, n'a pas eu ce prix. Vous vous êtes encore grandi, cher Jean-Paul Sartre, par ce refus. Je regrette quand même de ne pas avoir vu le petit bonhomme que vous étiez, avec son visage poupin, son œil difforme et ses lunettes rondes, recevoir – en frac – cette récompense des mains du roi de Suède. Tous les pays auraient ainsi découvert votre œuvre, et des millions de lecteurs supplémentaires se seraient plongés dans vos livres. Mais il faut, il est vrai, savoir choisir parfois entre le courage et la gloire.

Cher Jean-Paul Sartre, je n'aurai pas la prétention d'affirmer que je vous ai découvert par la philosophie. Non, c'est bien sûr le théâtre qui m'a permis de vous rencontrer. Vous avez déclaré un jour que vous n'écriviez pour le théâtre que lorsque vous étiez en colère. Colère politique, bien entendu. C'est là votre premier, et sans doute votre dernier mensonge d'auteur dramatique, car la vérité est toute autre. En réalité, vous écriviez des pièces pour que vos nombreuses maîtresses pussent réaliser leur rêve : jouer la comédie. Personne ne s'en plaindra : ni elles, qui s'en sont trouvées fort satisfaites, ni leurs partenaires, qui avaient ainsi le double avantage de travailler avec vous et de jouer en compagnie de fort jolies jeunes femmes – car la littérature y a gagné quelques chefs-d'œuvre. Certains amants offrent à leurs maîtresses des bijoux, d'autres des fourrures, d'autres encore des voyages ou des voitures ; vous, Jean-Paul Sartre, vous leur offriez, grand seigneur, des pièces de théâtre de la meilleure eau, doublées de réflexions philosophiques. De quoi se tenir chaud et gagner la postérité ! En revanche, vous n'avez guère écrit de chansons – excepté celle que chante Inès dans *Huis clos* : «Dans la rue des Blancs-Manteaux...»

Parmi ces maîtresses, il y avait une Marie je-ne-sais-quoi, et surtout Evelyne R., notre très chère Evelyne. Elle qui bégayait dans la vie guérissait dès qu'elle entrait en scène dans *les Séquestrés d'Altona*, dont j'eus la chance d'interpréter le rôle principal, celui de Franz von Gerlach.

Tout comme Pablo Picasso, vous étiez un chaud lapin : une maîtresse chaque jour. Evelyne, c'était le mercredi à seize heures... Je ne lui ai jamais demandé si elle appréciait la version coquine de *L'existentialisme est un humanisme*... J'étais pourtant très proche d'elle, ce que je ne vous ai bien sûr jamais dit, pour ne pas perdre votre amitié. Mais le temps a passé, maintenant, et tout cela semble bien futile au regard des années; et je peux donc vous l'avouer. Evelyne a connu une fin bien tragique. Amoureuse d'un réalisateur de télévision dont elle ne pouvait obtenir les faveurs, elle se suicida un soir après avoir écrit une lettre à chacun de ses amis... sauf à moi. Pourtant, je l'avais fait beaucoup rire, jusqu'à en pleurer, malgré ma réputation de comédien ténébreux. « Pour négliger son corps, il faut être bien dans sa peau », disiez-vous souvent. Evelyne et moi étions bien dans notre peau, et nous n'avions en rien négligé nos corps...

J'ai eu l'honneur de jouer quatre cent vingt fois le rôle de Franz von Gerlach. Pas à la suite, bien sûr : il y eut d'abord une centaine de représentations au Théâtre de la Renaissance, puis nous avons enchaîné par une tournée Herbert à travers la France, avant de reprendre le spectacle au Théâtre Antoine, puis dans une nouvelle tournée, Karsenty cette fois. Je n'ai pas eu besoin d'attendre l'ultime représentation pour constater que votre pièce m'avait coûté huit kilos. Après quelques représentations, j'étais déjà devenu un squelette vivant. Tous mes vêtements « civils » étaient trop grands, et je flottais dans l'uniforme de la Wehrmacht, agrémenté de médailles en chocolat, qui me tenait lieu de costume.

La première du spectacle eut lieu le 23 septembre 1959, jour de l'automne. En pleine guerre d'Algé-

rie, les réflexions sur la torture, sur les crimes per-
pétrés par von Gerlach prenaient une signification
étrange, tout comme cette peinture d'une Allemagne ayant retrouvé sa prospérité économique,
mais pas sa conscience, mise à mal par un passé
honteux. Il me faut rappeler d'un mot le sujet de la
pièce.

Franz von Gerlach a permis à un Juif d'échapper
à la Gestapo ; dénoncé par son père, il doit s'engager dans la Wehrmacht pour éviter d'être
condamné. Sur le front russe, il torture des partisans. Après la guerre, il vit cloîtré, persuadé,
comme sa sœur le lui confirme, que l'Allemagne
est toujours en ruine, sous la botte des Alliés... *Les
Séquestrés d'Altona* n'est pas votre plus célèbre
pièce. On ne l'enseigne que rarement dans les
lycées. Pourtant, elle est profondément humaine,
et, plus qu'aucune autre, elle montre combien les
actes, les actes avant tout, comptent – du moins le
pensiez-vous.

Je me souviens surtout des répétitions fiévreuses.
Vous ne vous occupiez absolument pas de la mise
en scène, de la « spatialisation » – les déplacements,
les gestes, le jeu des accessoires –, mais vos
remarques tranquilles et vos conseils touchaient au
cœur même des personnages. Vous me trouviez
« trop romantique ». Un jour, vous m'avez ordonné,
en pleine répétition, de faire une pause et de descendre dans la rue pour acheter, chez le premier
opticien venu, un monocle cranté. Je me suis bien
sûr exécuté, mais j'ai pris soin d'acheter également
un peu de colle à perruque, pour me fixer correctement le monocle sous le sourcil. En coulisse, j'ai
vissé l'instrument à mon œil droit et suis rentré en

scène. Tout venait de changer en... un clin d'œil. Adieu le romantisme, Franz von Gerlach était né.

Mais tout ne fut pas si facile. Alors que les répétitions touchaient à leur fin, vous êtes arrivé un matin en décrétant que nous n'avions plus besoin de plafond dans le décor, et que nous jouerions – si j'ose dire – à la belle étoile des projecteurs. Je me suis alors avancé au bord de la scène, et, devant tous les comédiens ébahis, je vous ai dit : «Jean-Paul Sartre, vous êtes un menteur. Il faut un plafond, et vous le savez très bien.» Il y eut un grand silence dans ce théâtre vide, puis vous vous êtes levé, vous êtes dirigé vers la sortie et m'avez dit, de votre petite voix aigre : «Je vous attends dehors...» Je suis immédiatement descendu de scène et vous ai suivi. Le reste de la troupe, inquiet, attendait l'issue de notre pugilat sur le boulevard, à deux pas de la porte Saint-Martin. Vous m'attendiez dans la rue, en compagnie de Simone de Beauvoir, qui assistait à la répétition. Je vous ai alors expliqué mon point de vue. Dans mon uniforme d'officier de la Wehrmacht, même en loques, je devais rappeler de bien mauvais souvenirs aux passants, mais je n'y prêtai pas attention. J'étais trop sûr de moi. Je m'appuyais d'ailleurs sur votre propre texte pour défendre ma position. Si vous aviez insisté d'abord sur la nécessité de poser un plafond, c'était qu'une importante réplique l'exigeait. Au début du premier acte, je crois, Franz von Gerlach s'adresse en effet au plafond en ces mots : «Habitants masqués des plafonds, attention. Habitants masqués des plafonds, attention. On vous ment.» Le menteur, en l'occurrence, c'était vous, qui prétendiez soudain que le

plafond était superflu. Entre voyous, cette controverse se serait jouée à coups de poings, et le vainqueur aurait réglé le problème. Mais, avec Jean-
Paul Sartre, les mots tenaient lieu de muscles, et
les arguments d'uppercuts. « Si l'on retarde encore
la générale, m'avez-vous calmement expliqué, la
presse et la radio diront que c'est à cause de mes
amies actrices, qu'elles ne sont pas encore prêtes,
et que je les protège. » J'ai été surpris et convaincu
par cet argument très sincère. Comme vous deviez
apprécier ces jeunes personnes, pour être aussi
sensible à leur réputation ! Je ne sais si Simone de
Beauvoir comprit aussi bien que moi le sens de
votre explication, mais Franz von Gerlach dut
s'incliner, et jouer sans rechigner et... sans plafond.

Chaque comédien de théâtre rencontre, un jour
dans sa vie, « le » rôle, celui qui marquera sa carrière et auquel il laissera son visage. Peut-on être
Knock après Louis Jouvet, le Prince de Hombourg
après Gérard Philipe, Bobosse après François Perier ? Personne n'a la propriété exclusive d'un personnage. Mais les comédiens qui prennent de si
difficiles successions doivent s'attendre à la pire
des épreuves : la comparaison. « Mon » grand rôle
au théâtre, sous l'uniforme en lambeaux d'un officier de la Wehrmacht, je vous le dois. Quelle iro-
nie ! Moi qui ai quitté l'Italie avec ma famille alors
que mon pays natal se jetait dans les bras du fascisme, moi qui ai fui l'arrivée des Allemands à Paris
dans un exode cocasse ! Et pourtant, j'ai de la pitié,
presque de l'affection pour ce Franz von Gerlach
enfermé dans sa folie, dans son passé, condamné à
mourir pour se réconcilier avec lui-même. Et puis,
comment penser sans émotion à un personnage

qui, cinq cent vingt fois, vous a fait connaître le grand vertige du théâtre ?

Un jour, vous vous êtes aperçu – mais trop tard pour changer le nom de votre personnage – que von Gerlach avait bel et bien existé, et s'était héroïquement opposé, de toutes ses forces, aux Nazis. Je veux croire qu'il ne s'agit pas là d'un hasard ni d'un simple tour que vous a joué votre mémoire, mais plutôt d'un hommage au vrai von Gerlach, et d'une chance de salut offerte au Franz de la pièce.

Quelques années plus tard, alors que j'avais déjà quitté le théâtre pour le music-hall, j'ai été abordé par un jeune homme, à la librairie La Hune, où je cherchais quelque livre rare. Me voyant fouiller dans les rayonnages et me prenant sans doute pour un vendeur, il est venu vers moi et m'a demandé : « S'il vous plaît, m'sieur, les bouquins de Jean-Paul Sartre, ils sont où ? » Je lui ai indiqué le bon rayon. De loin, je l'ai vu choisir *les Séquestrés d'Altona*. Puis il est revenu vers moi en tenant le livre ouvert à la page de garde, où est indiquée la distribution et le nom des comédiens qui ont créé chacun des rôles. Il m'a tendu le livre en pointant le doigt sur la ligne « Franz von Gerlach : Serge Reggiani ». « Serge Reggiani ? Le chanteur ? » m'a-t-il demandé incrédule. Je l'ai regardé dans les yeux : à l'évidence, il ne plaisantait pas. Il ne m'avait pas reconnu. « Oui, Serge Reggiani le chanteur », ai-je répondu en me retenant de rire. Alors, le jeune homme a eu un froncement de sourcils et une moue, puis il a replacé *les Séquestrés d'Altona* dans le rayon et a choisi *l'Être et le Néant*. Qu'auriez-vous pensé de moi si ce jeune lecteur s'était rabattu sur *l'Étranger* de Camus ?

François Perier et moi avons réalisé un court métrage sur vous, votre personnalité, votre façon de travailler. Le résultat, à mon avis, était fort honorable. Je reverrais aujourd'hui avec plaisir ces images. Peu de temps après le tournage, je vous ai croisé à la Colombe d'Or, à Saint-Paul-de-Vence. Vous étiez attablé en compagnie de Simone de Beauvoir. Je vous ai abordé, mais vous avez tourné vers moi un regard vide. Vous n'avez pas compris ce que je tentais de vous dire. J'ai su alors que vous n'étiez plus tout à fait vous-même, que la maladie avait progressé.

Quelques minutes avant de mourir, vous auriez dit : «Je vais enfin pouvoir me foutre la paix !» Était-ce encore une boutade de votre part, un ultime mot d'esprit, ou bien le signe d'une pensée plus profonde ? Étiez-vous donc à ce point torturé par vos propres actes ?

Je vous ai aimé énormément. Pour moi comme pour beaucoup d'autres, vous étiez le sommet de l'intelligence, du savoir et de la générosité. Vos gestes étaient rares, mais chacun portait sa propre signification. Je sais que ces lignes paraîtront «flagorneuses», mais il est des moments où la sincérité prime la pudeur.

Vous étiez, selon les critères de l'esthétique classique, très laid – de trop grosses lèvres, un visage lunaire et cet œil qui regardait de travers. Pourtant, ceux qui vous approchaient, et pas seulement les actrices qui bénéficiaient de votre «soutien», vous reconnaissaient un charme certain, peut-être parce que quelque chose d'enfantin émanait étrangement de votre visage. C'est pourquoi je voudrais terminer en évoquant votre mère, qui était d'une grande beauté. Vous imagine-t-on avec une «maman»! Et pourtant, vous débordiez de tendresse pour elle. Un jour où la troupe s'inquiétait de ne pas vous avoir vu depuis quelque temps, je me suis permis de lui téléphoner pour obtenir de vos nouvelles. «Mon Paulo va très bien, et il fait tout ce qu'il peut pour vous tous», m'a-t-elle répondu. Il fallait vraiment être votre mère pour vous appeler «mon Paulo»...

Très cher Jean-Paul Sartre, je vous dis adieu. Vous reverrai-je dans ce «quelque part» qui n'existe pas? Mais le néant, n'est-ce pas déjà quelque chose? J'aime le sommeil, le sommeil sans rêve apparent, ce grand vide où, peut-être, je vous croise sans m'en apercevoir...

Non, non, cher Jean-Paul Sartre, soyez rassuré, vous n'avez jamais été «un chien», jamais. Et moi?

Serge Reggiani

À Albert Camus

Cher Albert Camus,

Comment évoquer l'homme que vous fûtes sans parler d'abord de votre visage, sans rappeler le charme presque magnétique qui était le vôtre ? Ce n'est pas là une flatterie posthume, ni un cliché pour midinettes, mais la vérité. Votre fragilité et ce voile de mystère qui passait sans cesse devant vos yeux n'y étaient sans doute pas étrangers ; ils ont permis à des artistes de vous immortaliser en de superbes esquisses au crayon, car votre beauté se prêtait au noir et blanc : ce n'est pas un hasard si chacun connaît ces photos vous représentant sanglé dans votre imperméable, regard au loin et cigarette aux lèvres. James Dean a incarné pour l'Amérique la beauté brisée en pleine jeunesse, l'ange foudroyé. La France, pays plus intellectuel, a eu Albert Camus, mort lui aussi dans un accident de voiture, et Gérard Philipe, qui avait sur le front un peu de cette lumière étrange et mélancolique qui brillait également sur le vôtre.

C'est Gérard Philipe qui devait jouer le rôle de Kaliayev dans votre pièce *les Justes*. Il avait été révélé par son interprétation de Caligula. Votre

111

style lui convenait à merveille, et c'est pour lui que vous aviez sculpté les mots de Kaliayev. Je ne l'ai appris que plus tard, après avoir tenté d'être moi-même ce Kaliayev. J'ai compris alors pourquoi ce rôle m'avait donné tant de fil à retordre. Il faut bien l'avouer : j'ai été mauvais. Je n'ai pas réussi à donner chair aussi bien que je l'aurais voulu – et que vous l'avez sans doute rêvé – à cet étrange révolutionnaire, empli de détermination et de scrupules, de violence et de principes, qu'était votre héros.

La première fois que je vous ai rencontré, c'était au tout début des répétitions des *Justes*. Vous ne vous mêliez en rien de la mise en scène. Paul Œttly avait votre blanc-seing, mais, assis dans l'ombre au milieu de la salle, vous surveilliez avec attention tous les acteurs : parmi eux était Michel Bouquet, dont la prestation en Stepan Fedorov annonçait le talent. Maria Casarès était d'une beauté si parfaite et si troublante qu'elle fascinait tous ceux qui la côtoyaient au Théâtre Hébertot. Elle donna à Dora, l'âme de ce petit groupe de révolutionnaires nés sous votre plume, cette beauté ciselée qui était pour vous un certain idéal esthétique...

J'étais très mauvais, donc, dans la peau de ce jeune révolutionnaire russe, et je travaillais comme un fou pour m'améliorer. Au fil des répétitions, les progrès furent aisés à percevoir : j'étais devenu carrément mauvais. La première vint malgré tout, le 15 décembre 1949, à quelques jours du dernier Noël de cette décennie écrasée par la guerre. Il faisait froid à Paris. Cela tombait bien, car l'action de votre pièce se déroulait à Moscou, en février 1905,

112

alors qu'un petit groupe de terroristes issus du Parti socialiste révolutionnaire venait d'assassiner le Grand-Duc Serge, oncle du Tsar. Mon personnage, Kaliayev donc, était poète et révolutionnaire : c'est lui qui, après une première tentative manquée, jette la bombe fatale dans la calèche du Grand-Duc.

À la fin du troisième acte, Kaliayev disait adieu à ses amis et se dirigeait vers la porte en emportant sa bombe. Il s'arrêtait devant Dora et lui disait « Au revoir. Je... La Russie sera belle. » Et Dora lui répondait, au bord des larmes : « La Russie sera belle. » (Plus tard, la réplique a pris un goût amer, lorsque nous avons vu changer ce pays ; mais, en 1949, quatre ans après une guerre où l'Armée rouge avait tenu les premiers rôles, cette phrase était une prophétie poignante, même si vous étiez, cher Albert Camus, sans illusion devant le communisme.) Vous aviez noté dans votre texte l'indication de jeu suivante – la didascalie, pour parler comme les spécialistes : « Kaliayev se signe devant l'icône. » On pourrait penser qu'à un Italien, quand bien même totalement athée, un signe de croix ne pose aucun problème technique, et, à voir les démonstrations dévotes sur la place Saint-Pierre de Rome, que les nouveau-nés de ce pays apprennent à se signer dès le berceau. Certes... Moi-même, je puis encore aligner signes de croix et génuflexions plus vite que mon ombre, pourvu que ce soit le signe de croix catholique, uniquement catholique... Or, les Russes font le signe de croix orthodoxe, c'est-à-dire inversé ; droite, gauche, haut et bas n'ont pas pour eux le même sens que pour nous, Occidentaux. Aussi chaque soir, devant l'icône, le même problème se posait à moi : par quelle épaule commencer ? Toutes les répétitions n'avaient servi à rien, toutes les simulations devant mon miroir étaient restées vaines. Chaque, soir, je voyais la Sainte Vierge dorée de l'icône me regarder avec un petit sourire qui semblait me dire : «Mon pauvre ami ! Une fois de plus, tu vas te tromper de sens !» Et, chaque soir, mes racines catholiques reprenaient le dessus : je bégayais mon signe de croix comme un premier communiant intimidé. Un coup à gauche, un coup à droite, ma main dansait devant ma poitrine pendant d'interminables secondes. Mes camarades de scène, bien entendu, savaient mon embarras. Ils m'attendaient au tournant et ne pouvaient s'empêcher de pouffer à mon désarroi. Michel Bouquet, se dirigeant vers la fenêtre, parvenait à se dissimuler, mais Maria Casarès, qui jouait Dora Doulebov, était plus perfide ; son rire, pourtant sonore, demeurait imperceptible au public. Elle gardait les lèvres bien serrées, le visage immobile ; on n'entendait plus alors sur la scène qu'un étrange couinement. Après un signe de croix bâclé, inachevé, je me précipitais en coulisses pour éviter d'être saisi de fou rire à mon tour.

Un soir, parce que j'avais été plus maladroit que d'habitude, ou bien parce que Maria était d'humeur encore plus joyeuse que la veille, son rire franchit la rampe. Un spectateur lança d'une voix forte : «Ne riez pas !» La sortie de Kaliayev devait lui sembler un moment d'intense émotion dramatique, l'instant où tout se joue : la Révolution de 1905, donc celle de 1917, donc le sort de l'Union soviétique. Ce brave adorateur de la Révolution avait historiquement tort, mais artistiquement raison. Sa réplique nous rendit notre sérieux. Mais il ne pouvait deviner que nous ne nous moquions en rien de l'idéal révolutionnaire, et que ce désordre était dû à une manière pas très catholique de se signer à l'orthodoxe...

Les Justes ne fut pas la seule pièce de vous que j'eus le bonheur de jouer. Le public, qui connaît vos œuvres, ignore cependant que vous avez adapté de très grands textes étrangers, comme ceux de Dostoïevski ou de Calderón de la Barca. De ce grand d'Espagne, vous avez revu *la Dévotion à la Croix*, que j'ai jouée une fois encore au côté de Maria Casarès : c'était une épopée mystique très espagnole, avec duels, vengeance et grand amour.

Grâce à vous, j'ai pu ainsi découvrir le Festival d'Angers, où la pièce fut présentée, en un temps où le Festival d'Avignon n'était pas encore le plus célèbre du monde. Plus tard, c'est là que j'ai mis en scène *Hamlet* – la seule mise en scène de ma carrière, si l'on excepte *3-6-9*, un boulevard sans grande qualité mais qui eut beaucoup de succès à Montreuil-sous-Bois et dans les environs... J'avais choisi, pour *Hamlet,* la traduction de Marcel Pagnol, bien que la version française de référence fût alors celle établie par André Gide. Mais Pagnol avait écrit pour le public, tandis que Gide s'adressait à des lettrés, traduisant le fameux « *To be or not to be...* » par : « Être ou n'être pas... ». Pagnol, dont le talent était loin de se borner à la trilogie *Marius, Fanny* et *César,* avait écrit plus simplement : « Être ou ne pas être... ».

Nous n'avions pas un sou de budget. Il nous fallut des trésors... d'imagination. Roger Pigaut s'occupa, sous ma direction, des lumières, et joua

115

également Horatio. Pour la fameuse scène de l'apparition des spectres, au début de la pièce, il nous était bien sûr impossible de réaliser de mirifiques effets spéciaux. La scène était large de quarante-six mètres et profonde de quinze, avec un plateau étagé dominé par une tour, nous empêchant de faire apparaître le spectre un peu partout. J'eus alors l'idée d'habiller six acteurs de costumes fluorescents, recouverts d'une cape noire. Invisibles sur le fond noir du décor, fort simple, construit par Alexandre Trauner, ils apparaissaient soudain, lumineux et inquiétants, en ouvrant leur cape, avant de s'escamoter d'un geste en se retournant.

Un autre problème majeur me préoccupait; à la toute fin de la pièce, l'armée de Fontinbras est censée envahir la scène pour mettre tout le monde d'accord, ramasser les cadavres et proclamer Fontinbras roi du Danemark. Comment faire débouler une armée qui ne fût pas ridicule? La garnison voisine proposa de nous fournir un bataillon de figurants gratuits et parfaitement entraînés au pas cadencé... mais il était inconcevable de les faire défiler dans leur tenue kaki de troufions français! Nous jouions alors en alternance avec un mélo effroyable, auquel je trouvais pourtant une qualité: son décorateur. En effet, il avait recours, pour les besoins de sa pièce, à quantité de drapeaux multicolores. Il nous les prêta gentiment, et c'est enveloppés dans ces étendards que nos soldats envahirent la scène. La rigueur militaire en souffrit quelque peu, mais ce fut du plus bel effet. Aucun spectateur ne se douta qu'il était dicté par notre pauvreté...

On demanda un jour à Louis Jouvet la différence entre le théâtre et le cinéma. Il répondit : « Au théâtre, on joue. Au cinéma, on a joué. »

Cet amour des planches, cher Albert Camus, vous l'avez bien connu, et vous auriez sans doute cédé plus d'une fois à cette passion si la mort ne vous avait fauché dans la pleine maturité de votre œuvre. Mais un arbre sur une route de province en a décidé autrement. Vous reveniez d'Avignon en compagnie de l'un des frères Gallimard : il était au volant et vous « à la place du mort ». J'ai appris la vôtre comme la plupart de vos admirateurs, par les informations télévisées. J'en ai été atterré, comme l'est toujours la famille du spectacle quand l'un des siens s'en va. Car vous n'étiez pas seulement un grand intellectuel ; de l'artiste, vous aviez la sensibilité, la fragilité, c'est-à-dire l'essentiel.

À vos pieds, au milieu des débris de la Facel Vega broyée, dans la sacoche qui ne vous quittait jamais, se trouvait le manuscrit de votre ultime ouvrage, le Premier Homme, que vos amis n'ont publié que l'année dernière, tant ils craignirent à l'époque que le « clan » sartrien y trouvât l'occasion de vous attaquer post mortem. J'ai eu la chance de jouer vos pièces comme celles de Sartre. Nous ne sommes pas nombreux dans ce cas-là, mais nous y avons gagné une certitude : votre rivalité n'était qu'une affaire de littérature, et l'homme Sartre était au bout du compte très proche de l'homme Camus. La preuve en fut donnée à votre mort, puisque c'est Jean-Paul Sartre qui écrivit le plus beau texte en hommage à votre talent. Il fut publié dans France-Observateur, le 7 janvier 1960, quelques heures

117

seulement après votre disparition : « Nous étions brouillés, lui et moi : une brouille, ce n'est rien – dût-on ne jamais se revoir –, tout juste une autre manière de vivre ensemble sans se perdre de vue dans le petit monde étroit qui nous est donné. Cela ne m'empêchait pas de penser à lui, de sentir son regard sur la page du livre, sur le journal qu'il lisait et de me dire : "Qu'en dit-il ? Qu'en dit-il en ce moment ?" »

Que dites-vous, cher Albert Camus, que dites-vous en ce moment de la philosophie et de ses docteurs, des humains et de leurs guerres, du théâtre et de ses personnages ? Que dites-vous du monde qui va et n'a plus votre pensée comme point de repère ? Et que dites-vous, que dites-vous en ce moment de ma lettre, de ces quelques mots d'estime et d'affection que je vous envoie par-delà l'horizon ?

Avec toute mon admiration,

Serge Reggiani

À Michel Auclair

Cher Michel, cher Michka Vujovic,

C'est grâce à l'abbé Prévost que nous nous sommes vraiment connus. Cet abbé-là n'avait rien d'un religieux, et ce n'est pas au cours d'une retraite que nous nous sommes croisés. Non, l'abbé Prévost est l'auteur d'un roman à succès – un *best-seller*, dirait-on aujourd'hui – racontant les amours contrariées d'une femme superbe et infidèle, Manon Lescaut, et d'un chevalier au grand cœur, des Grieux. En 1948, plus de deux siècles après sa publication, Henri-Georges Clouzot, probablement amoureux du personnage de Manon, décida d'en faire un film. Le titre original du roman – *L'Histoire du chevalier des Grieux et de Manon Lescaut* – était un peu long, et Clouzot choisit l'extrême inverse en baptisant son film *Manon*.

C'est la jeune Cécile Aubry qui devait incarner cette femme fatale pour laquelle des Grieux traverse l'Atlantique, commet les pires forfaits, séjourne en prison et manque d'être tué à plusieurs reprises avant d'enterrer le corps de sa belle à mains nues après une cavale désespérée dans le désert de Louisiane ! Cécile Aubry n'était pas

119

encore l'auteur de romans pour enfants qu'elle est devenue ; elle avait un minois frais et piquant, idéal pour jouer Manon, fausse ingénue.

Sa silhouette frêle de femme enfant inquiéta Clouzot. Je devais en effet interpréter le chevalier des Grieux, mais il préféra t'offrir le rôle et me confier celui de Lescaut, le frère de Manon, affreux jojo parfaitement hypocrite. Lescaut entraîne des Grieux dans d'innombrables magouilles, abuse tous ceux qui passent, surtout s'ils ont un cœur pur et une bourse bien garnie, et finit toujours par s'en sortir aux dépens d'autrui. Bref, le parfait salaud, au sens sartrien comme au sens commun. Clouzot pensait sans doute que Cécile-Manon serait plus en sécurité entre tes bras que dans mes pattes... Il avait sans doute raison, car la plupart des critiques pensent que tu tins là ton meilleur rôle. Qu'importe, le film a fait de nous des amis, et toi, Wladimir Vujovic, tu es devenu un grand acteur, de ces artistes solides et discrets qu'on ne remarque pas toujours sur une affiche ou un générique, mais qui apportent à un film une valeur ajoutée formidable.

Tu sais à quel point, mon cher Michel, Henri-Georges Clouzot était fou de son art ; il aurait tout sacrifié pour réussir son film ; fou comme le sont sans doute un peu tous les génies. Il me faut donc te raconter ma chronique des folies ordinaires de Monsieur Clouzot. Après *Manon*, j'ai commencé à tourner avec lui un autre film, intitulé *l'Enfer*. Clouzot ne pouvait pas choisir meilleur titre : le tournage prit des allures cauchemardesques. On dit que l'enfer est pavé de bonnes intentions ; grâce à Clouzot, il est désormais tapissé de pellicule.

Le seul aspect positif de cette catastrophe fut pour moi la rencontre avec Romy Schneider, qui semait elle aussi des flammes sur son passage, mais pas des flammes infernales... Pour camper le héros masculin de son *Enfer*, Clouzot avait tourné des bouts d'essai avec un nombre impressionnant de grands acteurs, un véritable Who's Who hollywoodien : Raf Vallone, Burt Lancaster, Yves Montand et bien d'autres avaient défilé devant sa caméra, en vain. Il cherchait désespérément parmi les acteurs «baraqués» du moment, grandes carcasses plus ou moins musclées, mais il ne trouvait pas *le* personnage. C'est alors qu'à la Colombe d'Or, à Saint-Paul-de-Vence, chacun se mit à me répéter, alors que je n'étais pas baraqué du tout, que *le* personnage, c'était moi, et que Clouzot n'avait pas à chercher plus loin : il lui suffisait de m'envoyer en enfer pour que tout s'arrange. Et Clouzot m'envoya en enfer. Je posai comme seule condition de modifier le scénario, ce que nous fîmes au jour le jour.

Le tournage commença dans le site majestueux du viaduc de Garabit, où Clouzot se mit à faire folie sur folie, m'obligeant par exemple à courir comme un dératé. Au premier passage, je courais trop vite, au deuxième, trop lentement, au troisième je galopais n'importe comment, au quatrième je me traînais lamentablement, ainsi de suite jusqu'à ce que je fusse totalement incapable de mettre un pied devant l'autre.

Un peu plus tard, il me fallait rougir au beau milieu d'une scène, en voyant une actrice danser sur une table de la terrasse. Le film était en couleur, et Clouzot tenait à tout prix à ce que l'on vît nettement mes joues s'empourprer. Facile à dire, mais comment rougir sur commande, sans pouvoir se mettre en colère ni s'échauffer ? Clouzot, lui, ne s'inquiétait pas le moins du monde. Il avait inventé une astucieuse machine infernale à faire rougir à distance : un tuyau de fer percé de trous d'où sortaient de petites flammes. En approchant son lance-flammes d'opérette au ras de mon visage, Clouzot espérait me colorer les joues à souhait ; mais le résultat fut tout autre. Les yeux piquants de larmes, je me sentais rôtir lentement... hélas ! mes joues restaient désespérément pâles. Clouzot, furieux, piquait des colères monstrueuses... en rougissant jusqu'aux oreilles !

Ainsi malmené de scène en scène, je finis par m'effondrer, victime d'un petit infarctus qui m'envoya quelques jours en résidence forcée à l'hôpital de Saint-Flour. Une fois rétabli, je demandai à mon médecin si j'étais en état de reprendre le tournage. J'eus la mauvaise surprise de l'entendre répondre : « Vous, oui, mais pas Clouzot : il a fait un infarctus à son tour, mais grave, très grave... » Clouzot, en effet, ne s'en releva pas, et le film ne fut jamais achevé. Peut-être le verra-t-on un jour dans cet état incomplet, brouillon issu de son esprit volcanique et torturé.

Toi qui aimais les histoires drôles, j'espère que celle-ci te fera sourire, comme t'amusait cette anecdote chaque fois que je te la racontais. Nous étions en plein hiver, et la neige tombait sur Paris, recouvrant la capitale d'une mince pellicule qui suffisait à mettre la ville sens dessus dessous, à provoquer une joyeuse pagaille. Après quelques glissades périlleuses, me causant plus de peur que de mal, je m'étais réfugié dans une station de métro. Là, j'étais tombé sur le nain Piéral, qui avait fui, lui aussi, les trottoirs enneigés. Chassant quelques flocons restés accrochés à mon pardessus, je le saluai en disant : «Il neige vachement.» Et Piéral me répondit : «C'est vrai... on en a jusqu'aux genoux !»

À me remémorer une fois de plus cette repartie, il me semble que j'entends ton rire, comme si tu étais dans la pièce voisine, prêt à venir me dire bonjour. Mais tu n'es pas là, et ce rire que j'entends vient de la chambre d'écho des souvenirs, cette mémoire du cœur qui ne faiblit jamais.

Un jour, tu t'effondras, frappé d'une hémorragie à la poitrine. Les médecins parvinrent à la juguler et à te sauver de justesse, mais ils mirent une condition impérieuse à ton rétablissement définitif : que tu ne boives plus une seule goutte d'alcool. Tu n'as pas résisté à cette sirène. Tu as bu un peu, juste un peu, mais ton corps fatigué n'a pu le supporter, et les médecins, cette fois, n'ont rien pu faire.

Pour cette larme d'alcool en trop, combien de larmes salées ont versé tes proches et tes amis ? Ta mort me causa beaucoup de peine, notre complicité était si grande. Dans le temps, comme disent les êtres auxquels il n'en reste plus beaucoup, nous nous donnions rendez-vous devant le Théâtre des Mathurins, ou bien chez toi, où tu m'as hébergé plus d'une fois. Plus tard, quand la vie nous a éloignés l'un de l'autre, nous ne manquions jamais de nous téléphoner, et Noëlle comme moi gardons un souvenir ému de tes coups de fil toujours chaleureux et attentionnés.

Cher Michel, tu t'es fait porter désormais aux abonnés absents, et j'ignore à quelle adresse te poster cette lettre. Peu importe, car je sais qu'au moment même où je l'écris, tu devines ce qu'elle contient.

Salut, Michka. Dieu que Noëlle et moi t'avons aimé.

Serge

Chère Edith,

Je t'ai si peu connue. Trop peu pour t'écrire une longue lettre. Il faut pourtant que je te dise toute mon admiration et toute mon affection. Je t'écris...

D'autres ont eu la chance de t'approcher, de t'accompagner tout au long de ton existence : ils ont raconté ce que fut ta vie, avec ses ombres et ses lumières, ses secrets de femme et ses succès de star. Ils peuvent rendre grâce au destin qui a noué leur route et la tienne, comme je l'ai chanté sur une musique de Michel Legrand :

> *Heureux sont ceux qui ont brillé,*
> *Edith, dans ton rêve éveillé.*
> *C'est une merveilleuse histoire,*
> *Lorsque l'on a, rien qu'une fois,*
> *Eu le droit de poser le doigt*
> *Sur la soie de ta robe noire.*

Je t'ai trop peu connue, chère Edith, et pourtant je te tutoie, puisque tu tutoyais tout le monde. La gloire avait mis des ailes d'ange à ton corps toujours lissé de noir, mais jamais tu ne t'es envolée

125

loin de tes amis, jamais tu ne les as regardés en « star ».

Je t'ai connue l'espace d'un mauvais film, *Étoile sans lumière*, de Marcel Blistène. Tu incarnais la chanteuse Mila Parely, et je jouais l'ingénieur du son. Tu étais admirable de naturel, et nimbée d'une ingénuité charmante. Quel dommage que tu n'aies pas illuminé plus souvent les écrans de cinéma de cette mystérieuse aura qui te caractérisait.

Je t'ai connue l'espace d'un film, mais également le temps de cette chanson, baptisée simplement *Edith*. Si elle te semble triste, c'est parce qu'aucun souvenir, aucun disque ne pourra jamais nous rendre la vérité de ces instants passés à t'admirer. Tu es devenue une légende, qui chahute un peu la vérité et l'artiste que tu fus vraiment, mais nul ne peut rien à cela : comment expliquer que tu étais d'abord une femme ? Tu fais partie du patrimoine, tu es un monument. Cela m'attriste parfois, quand je chante :

> *Edith, les enfants n'ont de toi*
> *Qu'une image tenue parfois*
> *De myopes intermédiaires.*
> *Et ils ne sauront jamais plus*
> *Ce que c'est que d'avoir perdu*
> *Sa lumière dans ta lumière...*

J'ignore si le public sait, aujourd'hui, à quel point tu étais drôle. Quand je t'ai connue, tu ne disais jamais « auditorium », mais simplement « torium », et ce raccourci nous faisait beaucoup rire. Georges Moustaki n'a pas oublié, non plus, dans quelles circonstances tu as accepté de chanter son *Milord*. Il venait d'écrire, à sa manière, ce qui allait être un de tes plus grands succès, et il est venu te le présenter. Tu l'as reçu gentiment, tu as lu sa chanson et ton verdict est tombé du haut de ta belle sincérité : «C'est parfait. Enlève tout ce que tu as écrit, sauf "Milord" et débrouille-toi avec ça.» «Jo» a bien compris le message, et, sans fierté déplacée, il a suivi ton conseil. Autour du mot «Milord», il a écrit une chanson tour à tour lancinante et endiablée qui est dans toutes les mémoires.

Tes chansons, chère Edith, n'étaient pas des chansons «à texte», comme on dit. Mais tu n'ignorais pas qu'un mot, un thème, une simple histoire donnent parfois une grande œuvre populaire. On a dit que, grâce à ta voix et à ton sens de la scène, tu aurais pu faire vibrer un auditoire en interprétant l'annuaire du téléphone. Devenu chanteur à mon tour, j'ai pesé quel miracle tu accomplissais chaque soir, toi si frêle, le visage perdu dans le noir dont n'émergeaient que deux longues mains blanches, doigts écartés, sculptant des cercles invisibles dans la nuit.

Ton charisme valait toutes les beautés. J'ai connu une femme – non, Edith, je ne te dirai pas qui – qui n'éprouvait de jalousie pour aucune autre femme. Pourtant, dès qu'elle entendait ton nom, fût-il prononcé du bout des lèvres, elle se mettait en colère sans limite... Ton charme faisait aussi des ravages parmi les hommes. Monstre sacré, tu fus une dévoreuse, et ta passion se jouait de tous les interdits.

Chère Edith, où es-tu aujourd'hui ? Je sais que tu es là, quelque part. S'il y a un paradis, tu y donnes sûrement des récitals, et Dieu est aux premières loges. J'ignore si tu lui chantes *Non, je ne regrette rien, Mon Légionnaire* ou *l'Homme à la moto,* mais je sais que, moi aussi, j'aimerais bien un jour être au parterre, dans ce public de bienheureux...

Avec ma tendre affection,
Serge

À Romy Schneider

Romy, chère Romy, ma Romina, comme t'appelait Luchino [1], ton maître. C'était une nuit comme
celle-ci, sans doute, et comme moi tu écrivais une
lettre. La page était blanche, là, devant toi, tu
tenais la plume en main, et soudain tu t'es effon-
drée. Ta tête a basculé lentement vers l'avant, un
peu comme si tu t'endormais. Ton front est venu
heurter le bois du meuble – une coiffeuse – sur
lequel tu écrivais, et tes cheveux ont dessiné lentement une auréole mordorée, en une courbe qui
ressemblait à un geste d'adieu. Tu as lâché ta
plume qui est tombée sans bruit sur le sol, y laissant une petite tache d'encre noire, comme un
point final. Tout s'est arrêté dans cette chambre
silencieuse. Tu avais cessé de vivre.

Ce soir-là, je n'étais pas à tes côtés, Romy, mais
c'est ainsi que je vois tes dernières secondes. Pourquoi ta vie semble-t-elle un film prêt à tourner ?
Sans doute parce que tu étais, plus que toute autre,
une femme de cinéma, sans doute parce qu'à
chaque instant la lumière paraissait amoureuse de
ton visage, et le sculptait en douceur pour d'invi-

---

1. Luchino Visconti (1906-1976).

sibles caméras. Permets-moi donc, ce soir, de t'écrire une lettre sous forme de scénario, de te proposer un court métrage qui ne sera jamais tourné, quelques scènes qui n'ont jamais été jouées, dont aucune pellicule n'a capturé la fulgurance, et que tu n'as pas pu vivre. De là où tu es aujourd'hui, jette un coup d'œil sur mon scénario. Peut-être le mettras-tu directement à la corbeille, comme tant d'autres qui te furent proposés ici-bas. Peut-être accepteras-tu de faire un bout d'essai...

Scène 1. Extérieur jour, paysage de montagnes pelées sous un soleil écrasant. Quelques projecteurs éteints, des techniciens désœuvrés, une caméra en berne dans un coin de l'image. Au premier plan, le fauteuil d'un metteur en scène. Vide. Un technicien passe dans le champ, portant un « clap » sur lequel est écrit : « ENFER ».

Scène 2. Extérieur nuit, le même paysage sous un ciel noyé d'étoiles, qui remplacent les projecteurs. Le plateau est désert, on entend grillons et cigales. Elle et lui sont couchés sur l'herbe, les yeux au ciel ; leurs cheveux se mêlent. Elle fume, il fume, les volutes de leurs cigarettes se mêlent en s'élevant. Un paquet traîne dans l'herbe entre leurs deux visages. On lit la marque : « PARADIS ».

Scène 3. Intérieur nuit, dans un appartement meublé de Neuilly. Par la fenêtre ouverte, on aperçoit le haut de l'Arc de Triomphe éclairé. Ils sont côte à côte dans le lit, après l'amour. Il a les yeux fermés, elle sort un pied des draps : elle a gardé ses socquettes. Elle tourne et retourne son pied, l'examine sous toutes les coutures, puis soupire,

fait la moue, et dit : « Je n'aime pas mes pieds. »
Il ne dit rien, garde les yeux fermés, sourit.

Scène 4. Intérieur nuit, dans la salle de bain. On
entend le bruit de l'eau qui coule, et l'on devine à
travers les parois embuées de la cabine de douche
un corps souple et doré, aux courbes régulières.
Elle chantonne la petite mélodie de *Plaisir d'amour*
tandis que l'eau bat la mesure en tombant sur le
sol. Il s'approche discrètement, sans faire de bruit,
entrouvre la porte de la cabine de douche et la
referme. L'eau s'arrête de couler. Il dit : « Je les
trouve très, très jolis, tes pieds... »

Scène 5. Intérieur nuit. Ils sont face à face, très
proches l'un de l'autre. On voit les deux visages en
gros plan. Il baisse le regard une seconde.
Lui : « Tes seins sont très beaux. »
Elle : « Pourquoi ? »
Lui : « Pourquoi quoi ? »
Elle : « Pourquoi dis-tu que mes seins sont
beaux ? »
Lui : « Ils sont beaux parce que je les trouve
beaux. »
Elle : « Ah ! Monsieur ne doute pas de son goût ! »
Lui : « Non ! »
Elle : « Mais pourquoi les trouves-tu beaux ? »
Lui : « Parce qu'ils sont beaux ! Je les trouve
beaux parce qu'ils sont beaux et ils sont beaux
parce que je les trouve beaux ! »
Elle, attrapant son visage et le secouant : « Mais
pourquoi, pourquoi ? »
Lui, avec un soupir de lassitude : « Je ne sais pas. »
Elle le gifle.

131

Scène 6. Extérieur nuit. Sur le pas de sa porte, elle discute avec un homme qui se tient quelques marches en contrebas, sur le trottoir. Lui, arrivant au coin de la rue et les voyant parler, s'arrête net. Il se cache un instant au coin de l'immeuble, dans l'ombre, puis fait demi-tour pour contourner le pâté de maisons. Même recul à l'autre angle de l'immeuble, puis une troisième fois, une quatrième. Il erre lentement sur le trottoir derrière l'immeuble. La voie est enfin libre, il s'engouffre dans l'immeuble, grimpe l'escalier, sonne à une porte. Elle ouvre, il entre.

Scène 7. Intérieur nuit. Ils sont face à face. Un bref silence.

Lui, sec : «J'ai fait vingt fois le tour du pâté de maisons pendant que tu discutais avec ce type.»

Elle, agressive : «Tu m'espionnes ?»

Lui, froid, après un temps : «J'en ai assez. J'en ai assez que tu te comportes en actrice jusque dans ta vie de femme. J'en ai assez.»

Elle fond en larmes, le frappe et dit entre deux sanglots : «Chien, chien, tu es un chien...»

Il la repousse et, avant de refermer la porte, sort en disant : «C'est comme ça que finissent les histoire abracadabrantes.»

On entend son pas qui dévale l'escalier, et des sanglots.

Scène 8. Extérieur jour, il fait beau, elle sort d'une maison en Provence avec un grand sac en papier, le pose à l'arrière d'une voiture décapotable et démarre en trombe. On voit un avion qui décolle, puis elle est dans un taxi qui traverse Paris. Intérieur jour, elle entre dans un studio d'enregistrement. Il est là, discutant avec des musiciens. Elle ouvre le sac, en sort deux grandes bouteilles de whisky qu'elle ouvre en souriant. Un technicien apporte des verres, elle lui sourit. Il quitte son groupe de musiciens, vient près d'elle, la regarde un instant sans rien dire puis quitte la pièce.

Scène 9. C'est exactement la même scène, mais il pleut en Provence et à Paris. À peine a-t-elle sorti ses bouteilles de whisky qu'il quitte le studio.

Scène 10. Intérieur jour, dans un café parisien aux vitres battues par la pluie. Il est attablé devant un café, elle a posé ses deux bouteilles de whisky sur la table. Il écrase sa cigarette, et dit : « Notre histoire est finie. Finie, bien finie. » Elle lève les yeux vers lui, lui caresse la joue et dit après un temps : « Ça tombe bien, je n'aime pas les petits garçons. » Il prend son paquet de cigarettes, se lève, jette quelques pièces de monnaie sur la table et sort. Elle reste assise devant ses bouteilles de whisky. Elle pleure.

Scène 11. Intérieur nuit. Elle a un peu vieilli mais reste d'une grande beauté. Seule une lampe de chevet est allumée. On la voit de dos assise à sa coiffeuse, en train d'écrire. Sa tête bascule lentement vers l'avant, un peu comme si elle s'endormait. Son front heurte le bois du meuble, ses cheveux dessinent lentement une auréole mordorée sur la page blanche, elle lâche sa plume qui tombe sans bruit sur le sol, y laissant une petite tache d'encre noire. Fondu au noir. Fin.

Voilà. « Toute ressemblance avec des personnes existant ou ayant existé... », comme on dit au cinéma. Voilà, ma Romina, le scénario qui ne sera jamais filmé, histoire effacée, histoire pour rien.

Nous nous sommes bel et bien rencontrés sur le tournage d'un film nommé *l'Enfer*, et qu'aurait dû signer Henri-Georges Clouzot si la mort n'avait pris rendez-vous. Dans quel studio de cinéma nous sommes-nous trouvés pour la première fois face à face ? Boulogne ? Photosonor ? Épinay ? Joinville ? Je ne sais plus, mais je me rappelle très bien les «instruments de torture» que Clouzot avait fait fabriquer pour l'occasion, afin de tester ses acteurs. Ainsi cette grande roue lumineuse actionnée par des machinistes, et sur laquelle nous devions suivre du regard un point lumineux sans bouger la tête, en roulant simplement des yeux. Clouzot inventa une autre machine infernale, véritable supplice de Tantale amoureux : il fit construire un grand cercueil de Plexiglas où il te demanda de t'allonger, parfaitement nue. Mon personnage devait s'approcher de toi et essayer de te caresser. Sur l'ordre de Clouzot, des machinistes tentaient alors de m'en empêcher en me tirant par les chevilles, les genoux, la taille et les bras. Et c'est dans ces conditions pour le moins insolites que j'ai eu le plaisir de contempler ton corps au demeurant très beau.

À la fin du tournage de ce film inachevé, je t'ai demandé, en cadeau d'adieu, «une photo de toi petite», et toi, tu m'as apporté... «une petite photo de toi» ! Ton français encore imparfait nous avait joué un tour. Tu tombais parfois dans les pièges de la grammaire, mais le reste d'accent allemand de ta jeunesse donnait à ta voix un charme ténébreux... qu'il n'avait pas en «version originale». Après la projection des *Choses de la vie*, film tiré du roman de Paul Guimard où tu jouais au côté de Michel Piccoli, une voiture fut avancée pour toi : tu me pris alors par la main et m'entraînas chez toi. Au moment d'entrer dans ton appartement, le téléphone sonna : c'était Willy Brandt, le chancelier allemand. Il était plus de onze heures du soir. Votre conversation eut lieu, bien sûr, en allemand, ce qui me permit de rester près de toi sans être indiscret, puisque je ne comprenais goutte à la langue de Schiller !

Excepté le français et l'italien – et encore... –, j'ai toujours été un peu fâché avec les langues. Je suis certes capable de réciter en vieil anglais des pans entiers de Shakespeare, mais ma mauvaise maîtrise de cette langue m'a causé cependant plus d'un tour. Anatole Litvak, que l'on surnommait Tola, m'avait engagé dans un film intitulé *Un acte d'amour*, l'un des premiers de Brigitte Bardot. Un titre qui lui seyait à ravir ! *«No. Thank you. I prefer ours»* («Non merci, je préfère les nôtres»), devais-je répondre dans une scène à Kirk Douglas, qui me proposait non une femme, mais une cigarette. Eh bien ! ce *«ours»* ne sortit jamais de ma gorge. Une autre fois – nous tournions *The Secret People*, de Thorold Dickinson – je devais dire à toute vitesse : *«You never saw such a dish of prawns !»*, c'est-à-dire : «Avez-vous jamais vu pareil plat de crevettes !» Je ne pus jamais prononcer correctement cette réplique ! Encore aujourd'hui, je soupçonne la perfide Albion de n'avoir inventé de tels pièges que pour moi.

En pensant à tout cela, je m'endormis sur ton lit, alors que tu poursuivais au téléphone ta conversation. Mon attitude n'était pas très digne, ni de circonstance, mais votre charabia germanique avait eu raison de mes dernières forces. Mon réveil ne fut que plus brutal : je fus pris sous un bombardement de magazines que tu me lanças avec rage. J'ai dû ramasser mes affaires et filer sans demander mon reste...

Quel âge aurais-tu, aujourd'hui, Romina ? Peu importe. Tu étais sans âge, puisque le cinéma t'a faite immortelle. Peut-être n'as-tu vécu que dans l'imagination de quelque amoureux à la recherche de l'actrice parfaite ? Rêve ou réalité, je t'embrasse au-delà de la mort, des rêves et des souvenirs.

Serge

À Luchino Visconti

Cher Luchino Visconti,

Tu es un grand homme, et même un prince, le seul sans doute qui se soit voué au cinéma.

J'ai eu l'honneur et le plaisir de tourner pour toi dans *le Guépard*, au côté de Burt Lancaster, Claudia Cardinale, Alain Delon et Romolo Valli. Je jouais le rôle de Don Ciccio Timeo, organiste et compagnon de chasse du Guépard.

Je me souviens de ta fantastique autorité, mais également de ta grande élégance de style et de cœur. De style, celui de tes tenues impeccables, de la classe aristocratique qui baignait chacun de tes gestes, de l'aspect racé de tout ton personnage. De cœur, avec la grande générosité qui guidait ton travail. Nous tournions dans la fournaise sicilienne, et les heures d'attente au soleil étaient une torture, surtout en costume d'époque. Toi seul ne semblais pas souffrir de la chaleur, restant dispos, haut perché sur ton praticable de metteur en scène et tiré à quatre épingles malgré la canicule. Les acteurs vedettes, dont j'avais l'honneur de faire partie, étaient ravitaillés en eau fraîche, mais pas les figurants, qui ont fini par déléguer une jeune femme pour te réclamer à boire. Tu as écouté sa requête,

137

et, alors que tout était prêt pour le tournage de la séquence, tu as tout interrompu pour convoquer le directeur de production, un dénommé Cristaldi. Ta décision était prise : pas de tournage tant que les figurants ne se seraient pas désaltérés. « Va ! va chercher de l'eau ! » lui as-tu crié. Les figurants menaçaient, mais ils étaient dans leur bon droit. C'était une version cinématographique du « Donne-lui tout de même à boire » de Victor Hugo. Car on peut être prince et grand seigneur... On servit de l'eau fraîche aux figurants et la journée de tournage fut perdue. Mais *le Guépard* reprit sa course dès le lendemain.

À l'heure du déjeuner, les figurants devaient malgré tout se sustenter à l'air libre, sous le terrible soleil sicilien, si chaud en cette terre de volcans qu'on se demande s'ils n'y mêlent pas leur lave. Le gratin de la distribution pouvait, lui, se réfugier dans un sous-sol frais qui était un petit paradis, mais nous ne nous y rendions que sur ton invitation, chaque jour renouvelée. Un midi, je n'ai jamais su pourquoi, tu n'as pas invité Burt Lancaster à se joindre à nous. Il est resté dans l'air torride à déambuler en costume d'époque, en quête d'un peu d'ombre.

J'ai par bonheur échappé à ce châtiment, mais j'ai connu dans ce réfectoire souterrain une bien cocasse aventure : je suis resté enfermé dans les toilettes, quelqu'un ayant poussé le verrou extérieur. Ayant appelé à l'aide en vain, j'ai fini par forcer la porte d'un coup d'épaule, alors que la moitié de l'équipe technique me cherchait. Comment expliquer au prince que les W.-C. étaient bloqués ?

Dans cet antre, tu avais fait transporter tout ton personnel romain, qui assurait le service en livrée : veste blanche à épaulettes dorées, gants blancs et souliers vernis. La scène était presque irréelle : on ne savait plus trop qui étaient les acteurs costumés et qui étaient les habitants du XXe siècle.

Comme il est difficile de t'écrire en français, alors que j'ai tant envie de m'adresser à toi dans notre langue maternelle. L'une de mes joies fut de tourner *le Guépard* en français *et* en italien. J'eus l'impression de tourner deux films, comme j'ai le sentiment d'avoir deux patries. Tu m'as recruté après m'avoir vu, sans doute, dans *la Grande Pagaille*, le film de Luigi Comencini. J'ai tourné d'autres films en Italie, comme *la Terrasse*, d'Ettore Scola – mauvais souvenir –, *la Donna del giorno*, de Francesco Maselli – film moyen –, et *les Anges déchus* de Gianni Franciolini. Beaucoup d'histoires de femmes, mais c'est une histoire d'hommes, celle des Jacobins, qui m'a apporté la gloire dans mon pays natal. *Il Giacobini* était un feuilleton tiré d'un livre de Federico Zardi, adapté en cinq épisodes de quatre-vingt-dix minutes par Edmo Fenoglio. J'y incarnais Robespierre. Cette série télévisée remporta un immense succès. Tous les samedis soir, à vingt heures trente, l'Italie entière était devant le poste de télévision. Les directeurs de cinémas ne savaient plus que faire pour remplir leurs salles, jusqu'au jour où ils trouvèrent la parade : ils achetèrent des téléviseurs, et c'est au cinéma que les Italiens vinrent suivre les épisodes de *Il Giacobini* !

Quand je songe au tournage du *Guépard*, je nous revois entre acteurs, jouant le soir au jeu de l'oie. Je te revois surtout sur ton grand praticable, un haut-parleur à la main, dirigeant chacun au plus juste, jusqu'au plus humble des figurants, jusqu'à l'anonyme silhouette d'arrière-plan. Je me souviens notamment d'un interminable travelling dans l'église, au milieu des morts vivants dont tu avais personnellement surveillé le maquillage blanchâtre. Et quel travelling !

La vie est ainsi, un long travelling plus ou moins maîtrisé qui s'achève par un «Coupez!» trop précoce.

Ton interprète et ami,
Serge Reggiani

À Ettore Scola

Scola !

Autant l'avouer tout de suite, nous n'avons guère d'atomes crochus. Ce n'est pas par hasard si nous n'avons tourné ensemble qu'un seul film, *la Terrasse*. Inutile d'en faire un drame. La vie est comme ça, emplie de gens que l'on aime, et d'autres avec lesquels le courant ne passe pas. À vrai dire, entre nous deux, le courant est passé si fort qu'il y a eu court-circuit ! Était-ce nos gènes ou le fruit du hasard ? Nous serions-nous mieux appréciés si nous nous étions rencontrés dans d'autres circonstances ? Je ne le crois pas. Nous n'étions pas faits l'un pour l'autre. Il y a des histoires d'amitié impossibles, tout comme il y a des histoires d'amour impossibles.

Notre controverse est avant tout artistique. Tu n'as rien compris à ma manière de faire l'acteur, et je n'ai pas apprécié ta façon de tourner un film. Cela paraîtra sans doute futile ; pour des artistes qui ont voué leur existence au cinéma, c'est capital. Être au diapason du film en cours, c'est être déjà des amis ; diverger sur le travail, c'est être presque des ennemis. L'essentiel, c'est que le film ne souffre pas de telles disputes – il faut toujours épargner les enfants du divorce.

La Terrasse a été bien accueillie par le public – qui ne s'est rendu compte de rien – parce que pendant le travail, après le «Moteur! Action!» fatidique, nous mettions nos querelles dans notre poche avec un gros mouchoir par-dessus, et ne pensions qu'à réussir la scène. C'est ce qui s'appelle la conscience professionnelle. Nous avons eu plus d'une fois des mots très durs l'un pour l'autre, doublés d'un profond mépris. Le temps a passé, et je ne renie rien de ce que j'ai pensé et dit à l'époque, mais je crois qu'il y a aujourd'hui prescription. J'ai mené ma vie et ma carrière dans d'autres voies, tu as continué ton chemin en m'oubliant: *basta!* Je n'oublie rien, mais je pardonne tout.

J'ai été engagé par les producteurs de *la Terrasse* avant même ta venue à Paris. Les responsables de la distribution m'avaient choisi en raison de mon physique fluet, pour incarner – si j'ose dire – un personnage qui n'avait que la peau sur les os, Sergio Stiler, fonctionnaire de la R.A.I. Ce maigrelet était censé se suicider en refusant toute nourriture, anorexique volontaire – tout le contraire de *la Grande Bouffe* de Marco Ferreri! Quand tu as fait ma connaissance, tu m'as demandé de maigrir encore, mais il était hors de question pour moi de perdre les derniers kilos qui me restaient. Sur le plateau, je n'avais le droit d'avaler qu'une olive par-ci par-là, ou une lamelle de carotte crue. Je respectais la consigne. À un moment, ému par ce jeûne forcé, l'un des personnages du film me disait: «Je ne voudrais pas être ton ver solitaire!» Si j'en avais eu un, rassure-toi, il se serait fort bien

142

porté, car je me vengeais de ce régime draconien dès que tu avais le dos tourné, dévorant à midi de délicieux macaronis rayés à la bolognaise, et en m'en mettant encore plein la lampe le soir !

Pour apparaître à l'écran non seulement maigre, mais maigrissant de plus en plus, il fallut donc avoir recours à une astuce. Dans une boutique de Rome, nous avons acheté trois costumes de coupe et de couleur identiques, mais de tailles différentes : le premier ajusté, le deuxième trop grand de deux tailles, et le dernier franchement immense, dans lequel je me noyais littéralement. Et le truc fonctionna : je donnais vraiment l'impression de fondre comme une motte de beurre sous un projecteur de cinéma. Pourtant, cela ne t'a pas suffi, et tu me l'as fait savoir d'une bien perverse manière. Pour tenir l'un des autres rôles, je t'avais chaudement recommandé Jean-Louis Trintignant. Tu l'avais immédiatement engagé. À la toute fin du film, je suis venu te demander ce que tu avais pensé du travail de Jean-Louis, et tu m'as répondu simplement, avec un sourire en coin : « Maigre. » Dans toute autre bouche que la tienne, ce mot aurait sonné comme une condamnation. Mais tu pensais à bien autre chose : tu voulais méchamment me faire comprendre que Trintignant, lui, avait la maigreur de l'emploi, contrairement à moi. Pour être assez maigre, il eût fallu devenir aussi mince que ton talent et se laisser mourir de faim...

Pendant le tournage, une de tes réactions m'a particulièrement agacé. Dans l'une des scènes, percevant au loin le cliquetis sautillant d'un ukulélé, je montais sur la plus petite des terrasses du décor pour entendre d'où venait la musique tahitienne.

143

Une fois grimpé, j'exécutais une démonstration de tamouré, ondoyante et lancinante. C'est en me voyant ainsi me tortiller que tu as semblé te rendre compte de mon petit talent, et tu m'as fait applaudir par toute la troupe rassemblée sur le plateau. Tu pensais sans doute me flatter : tu n'as réussi qu'à m'humilier et m'énerver. N'étais-je donc assez bon acteur, à tes yeux, que pour danser le tamouré ? Dérision indigne d'un grand réalisateur.

Tout cela est bien loin désormais, mais je persiste à croire que nous n'avions vraiment rien en commun. Heureusement, nous ne nous sommes plus jamais croisés, et les plaies ouvertes sur *la Terrasse* ont pu se refermer lentement. Il ne reste aujourd'hui qu'une mince cicatrice dans ma mémoire, et, si tu m'agaces encore lorsque je pense à toi, tu me fais également sourire, Scola, car tu étais plus bête que méchant. Et moi aussi, sans doute...

Sergio Reggiani

À Lino Ventura,

Très cher Lino,

Bien sûr, je suis tenté de t'appeler «Lino carissimo». Tu es né à Parme – où l'on fait le fameux jambon – et moi à Reggio Emilia, patrie du parmesan. Le fromage qui porte le nom de ta ville est fabriqué à vingt kilomètres de là, dans la mienne. Il faut bien garder l'esprit cocardier, même si nous sommes de vieux expatriés !

Quel parcours insolite que le tien ! J'ai connu quantité de gens persuadés que tu avais été catcheur dans ta jeunesse. Ils n'étaient pas loin de la vérité, puisque tu fus en réalité champion de lutte gréco-romaine. Mais autant le catch est répété, autant la lutte est un véritable sport, le plus vieux du monde sans doute, puisqu'il est né du pancrace, que les Grecs pratiquaient il y a deux mille ans, lors des olympiades. Et c'est à la lutte que tu dois cette carrure impressionnante, qui fit merveille au cinéma, dans la série des *Gorille* et dans *les Tontons flingueurs*. S'il est vrai que nous sommes tous deux italiens, nous n'avons pas vraiment le même gabarit. Tu es plutôt costaud, tout en muscles et en os. Je suis plutôt parmesan, petit, sec...

Devant la caméra de Jacques Becker, dans *Montparnasse 19*, tu incarnais un marchand de tableaux saisissant de vérité. Tu sais que, depuis peu, je m'adonne à la peinture avec passion. J'ai croisé, ces dernières années, plus d'un galeriste, et je puis t'affirmer que tu étais plus vrai que nature. À tes débuts, tu m'as confié un jour : « Si je fais ce métier, ce sera tout ou rien. » Et tu as gagné ton pari : tu as tout donné, et tu as tout eu. Bravo Lino, bravo !

Champion de lutte, acteur archipopulaire, tu excellais encore dans une troisième discipline : la bouffe. Je dis « la bouffe » et non « la nourriture », ou « la gastronomie », parce qu'avec toi, la qualité ne nuisait jamais à la quantité – et vice versa –, et que tu cuisinais pour réunir tes amis. On dit, d'une cuisine qui ne laisse personne sur sa faim, qu'elle est « généreuse » ; la tienne l'était plus que toute autre. J'en ris encore aujourd'hui, et pourtant il faut bien reconnaître que c'est elle, la bouffe, qui a eu raison de toi. « On creuse sa tombe avec les dents »... Ce proverbe turc a fait le tour du monde. Toi, Lino, tu t'es suicidé lentement, à coups de fourchette. Fallait-il être plus sage ? Je ne sais, car se priver des plaisirs terrestres pour grappiller quelques jours de vie n'est pas une philosophie convaincante, et tes « bouffes » étaient de tels moments d'amitié que le jeu, sans doute, en valait la chandelle.

Parfois, dans cette Colombe d'Or où j'ai fait ta connaissance, tu prenais d'assaut les cuisines, sous l'œil inquiet et amusé des cuistots et de leurs patrons, Titine, Yvonne et Francis. Après quelques dizaines de minutes héroïques, pendant lesquelles les mitrons secouaient les pâtes et préparaient les sauces sous tes ordres, tandis qu'une tornade de

146

casseroles traversait la cuisine, l'entrée arrivait sous le nez des convives : c'était d'habitude une énorme assiette de tagliatelles à la bolognaise, ou une montagne de gnocchis. Bons. Excellents. Délicieux. Et largement assez pour nourrir un régiment en campagne. Tu avalais ta portion en un clin de bouche et retournais à tes fourneaux surveiller la préparation du plat de résistance. Je ne savais pas que l'Italie produisait autant de pâtes. Deux Lino affamés, je crois, viendraient à bout des stocks de la péninsule entière !

«Plat de résistance» : l'expression n'est pas usurpée ! Celui qui pouvait terminer la seconde assiette – toujours emplie de pâtes, mais cuisinées différemment – méritait bien une décoration réservée aux braves qui ne fléchissaient pas devant l'obstacle. C'était bien sûr succulent, car les pâtes cuisinées par tes mains devenaient fraîches, presque vivantes, et non flapies comme celles que l'on mange si souvent en France, et qu'on appelle «nouilles» tant elles sont fades. Mais ce n'était pas fini. Il était impossible, après cela, d'avaler quoi que ce fût ; pourtant tu arrivais avec un dessert, avec «ton» dessert, des biscuits à la cuiller trempés dans du kirsch, disposés en un cylindre rempli de toutes sortes de crèmes. Un pur délice... et un Himalaya infranchissable après deux assiettes de pâtes à la Lino. Mais «au diable les bas à varices», il fallait bien plonger ! Il suffisait d'ailleurs de t'imiter : tu croquais ce dessert à belles dents, comme si tu n'avais rien avalé encore.

Ceux qui ne succombaient pas à table pouvaient ensuite s'abandonner à la digestion. Tu demeurais paisiblement installé sur la terrasse, immobile et satisfait de ce bon repas. Jamais je ne t'ai vu fumer : le soleil te suffisait. De mon côté, je traînais jusqu'à ma chambre ma carcasse alourdie de pâtes et goûtais une sieste bien méritée. C'est de cette chambre que j'ai pris l'habitude de regarder plus intensément le paysage. La lumière magnifique de ce coin de Provence invitait à la contemplation, mais j'ai, au fil du temps, aiguisé mon regard pour cerner un détail, apprécier une perspective, décortiquer une myriade de couleurs où je ne voyais avant qu'un camaïeu sans relief. Et de ce regard éduqué, de ces longues séances de pose, non comme modèle, mais comme artiste à l'affût de la beauté, m'est venue l'envie de peindre. Peut-être ta plantureuse cuisine, en m'immobilisant quelques heures, fut-elle involontairement à l'origine de cette passion tardive. Si c'est le cas, je t'en remercie.

Toutes les contrées du monde ont leur patois ; quand deux «pays» se retrouvent loin de chez eux, parler ce patois est souvent leur plus grande joie, comme si la musique de cette langue bien à eux les ramenait à leur enfance. Du jambon au parmesan, le patois ne varie pas d'une voyelle, et nous le parlions avec une grande volubilité dès que nous en avions l'occasion. Personne ne nous comprenait, même ceux qui parlaient très bien l'italien. Il fallait être Parmesan ou Bolognais pour saisir notre dialecte, ou bien Milanais, mais avec une oreille très fine. Qu'on en juge : «Mais qu'est-ce que tu as ?» se dit, en italien classique : *«Ma ché cos'hai ?»* Dans le patois parmesan, on dit : *«Mo ksa quèt ?»* Comme tout patois, on ne peut le transcrire que phonétiquement, tant l'orthographe en est improbable. C'est, incontestablement, une autre langue. Et que de rires ! Dialoguer dans ce patois nous amusait tellement que nous explosions à la moindre phrase, même si elle n'avait rien de drôle. Et les autres riaient de nous voir rire.

Nous nous sommes retrouvés sur le tournage d'un film de Robert Enrico, *les Aventuriers*, avec Alain Delon et Joanna Shimkus. Dans l'une des scènes d'action de ce film, l'héroïne descendait sous l'eau en scaphandre à semelles de plomb, et les trois généreux gaillards que nous étions plongeaient pour la récupérer et la ramener à la surface. Nous devions donc nous enfoncer sous l'eau sans éclairage, nous dirigeant dans la pénombre des profondeurs vers les lampes qui nous éblouissaient. J'étais à l'époque – et le suis resté un peu – claustrophobe. Il m'était insupportable de couler dans ce noir d'encre ; par réflexe, je faisais chaque fois demi-tour et remontais à la surface. Il fallut donc me doubler pour les scènes de grande profondeur, et faire des «raccords» : le public reconnaissait mon personnage à son masque jaune vif... Toi, bien sûr, tu n'eus aucun problème.

Très cher Lino, n'en déplaise à personne, c'est avec toi que j'ai connu les plus grandes rigolades de ma vie. C'est pourquoi je ne puis être triste en pensant à toi. Y a-t-il des festins dans l'au-delà ? Dieu le Père a-t-il pris vingt kilos depuis que tu es aux cuisines ? Saint Pierre a-t-il bien digéré son dernier plat de tortellinis ?

Adieu Lino, Lino la grande bouffe, Lino la rigolade, Lino le patois, Lino sourire et Lino talent, Lino mon complice.

Sergio

Mon grand, mon très cher grand,

Soudain, il me vient à l'esprit de te nommer Ste-phanovitch, comme j'appelle ta sœur Marioschka. Ce diminutif à la slave m'aide à vous revoir enfants, à vous revoir tout petits et moi-même encore jeune. Tu as étudié, un temps, les Arts décoratifs, et je possède deux aquarelles de toi que je regarde parfois. Elles représentent des cyprès à perte de vue. Étrange forêt torturée et vrillée par le vent, étrange hommage à Van Gogh, comme si un loin-tain cousinage vous unissait, une solidarité d'artistes maudits, de victimes de la société. Comme si des chemins parallèles, à cent ans de distance, vous avaient menés à la même décision absurde et inutile.

Mon très grand, je revois avec précision chaque jour de ta drôle de vie. Je garde surtout un excel-lent souvenir de toi enfant. Je me souviens des années heureuses au Pin Seul, à Mougins, dans notre grande maison. Moi qui nage comme du plomb, j'avais fait construire pour vous, mes enfants, une grande piscine où nous passions des journées entières à barboter.

Je revois aussi ton départ pour Paris dans cette fameuse guimbarde, une vieille 2 CV Citroën, dont la publicité affirmait qu'elle ne pouvait pas se retourner. Eh bien! toi, tu as réussi à la mettre sur le toit, dans un ravin entre Mougins et Saint-Paul-de-Vence, à quelques kilomètres de la maison. Au second départ, le bon celui-là, tu entassas tout ce que tu possédais pour «monter à Paris» et te lancer dans la chanson. J'avais le cœur serré de te voir partir, mais j'ai été ravi quand tu nous as annoncé par téléphone ton premier contrat. Un album vit le jour un peu plus tard, très encourageant. Le vrai chanteur dans la famille, c'était toi, car depuis ton plus jeune âge tu rêvais de ce métier-là.

Nous avons décidé plus tard de chanter ensemble à Bobino, et notre duo a bien fonctionné. Un soir, tu m'as entraîné après le spectacle dans un restaurant à deux pas du music-hall, et tu m'as présenté une jeune femme blonde prénommée Mischa. «Tu la verras de plus en plus souvent», m'as-tu simplement expliqué. J'ai compris alors que tu avais décidé de divorcer, et je me suis souvenu que nous avions chanté ensemble à ton mariage avec Odile, et que nous avions beaucoup ri.

Quelque temps plus tard, on t'a offert de passer à l'Olympia. Tu avais le choix entre la première partie de Pierre Perret et celle de Liza Minnelli. La blonde Mischa te conseilla – fort mal – de choisir la seconde. Hélas, les spectateurs ne venaient que pour Liza. Ils patientaient dans le hall et dans les cafés alentour en attendant l'heure de son show. Tu chantas donc devant une salle presque vide. J'étais là, bien sûr, et je souffrais pour toi, avec toi, le pire des supplices pour un chanteur. Ce calvaire s'acheva au bout de deux semaines, mais tu ne t'en remis jamais vraiment : ni ton esprit ni tes nerfs n'acceptèrent ce que tu considéras comme une catastrophe.

J'étais à Paris quand tu t'es suicidé au Pin Seul. Tu as utilisé un revolver de collection, une arme de western qui n'était pas vraiment faite pour servir. Tu avais dû fabriquer toi-même les balles avec le plomb de vieux tuyaux récupérés je ne sais où, et tu as dû faire feu à deux reprises pour arriver à tes fins, le canon plaqué sur ta gorge. C'était à Mougins, et c'est ma mère qui t'a découvert, s'inquiétant de ne pas te voir descendre de ta chambre pour le déjeuner. Dans la pension où elle a fini doucement sa vie, ta grand-mère avait couvert les murs de sa chambre de photos de toi. Je me souviens de l'avion, des photographes, de la route avalée à toute vitesse pour venir te voir mort, mon pauvre grand.

Je ne vais jamais dans ce cimetière Montparnasse où tu reposes depuis quinze ans. Je ne me suis jamais vraiment remis de ta disparition, tentant par deux fois d'en finir, moi aussi. Quand je chante, quand je peins, il me semble qu'il y a toujours une part de mon travail que je fais en souvenir de toi. Tu aurais cette année cinquante ans, nous pourrions les fêter avec ton frère, tes sœurs, tous les enfants, et nous parlerions entre nous, qui sait, du métier de grand-père et de celui de chanteur.

Où que tu sois, sache que tu n'as rendu service à personne en te suicidant. Pas même à toi.

Ton vieux père

À mes poètes

Hypocrite lecteur, mon semblable, mon frère !

Un certain Charles Baudelaire a écrit ces mots, pour clore le poème liminaire des *Fleurs du mal*. Il désigne, «dans la ménagerie infâme de nos vices», celui qui lui semble le pire : l'ennui. «Tu le connais, lecteur, ce monstre délicat»... Il me semble, aujourd'hui, que je le comprends.

J'ai pris très vite l'habitude de dire des poèmes dans mes récitals, le plus souvent en prélude à l'une de mes chansons, ou parfois carrément en guise de chanson, avec ou sans accompagnement musical. Ainsi, à l'Olympia, en 1983, j'ai introduit *Sarah* par une strophe de Baudelaire, *le Déserteur* de Boris Vian par *le Dormeur du val* de Rimbaud, et j'ai dit en entier *le Pont Mirabeau* d'Apollinaire et *Ce n'est pas moi qui chante* de Prévert.

J'ai besoin, sur scène, de votre présence, poètes, car elle m'enivre et m'inspire, elle ajoute la musique de vos vers à celle de mes chansons. Plus personne ne lit de poésie, personne n'en édite qu'à compte d'auteur, personne n'en dit à la télévision. Je suis sûr que mon public apprécie ces instants où je lui présente une autre littérature, une littérature vivante comme le théâtre, où les mots sont agencés sur le papier comme les saphirs sur les écrins par les joailliers.

Je me suis aperçu – il y a bien longtemps – que la poésie était rarement bien dite en public, comme si les poèmes exigeaient l'intimité et se galvaudaient une fois exposés. Mais il suffit de respecter le poème, de se laisser bercer par la musique du poète. Et quel plaisir lorsqu'on y parvient !

> *Sous le Pont Mirabeau*
> *Coule la Seine*
> *Et nos amours*
> *Faut-il qu'il m'en souvienne ?*
> *La joie venait toujours*
> *Après la peine...*

Il faut que la Seine «cou-ou-ou-oule» et que le Pont Mirabeau soit «beau-au-au-au», que la plus profonde langueur saisisse les «amou-ou-ou-ours», que la «jou-a-e» rayonne et que la «pei-eiiiiine» pleure... Ainsi, pour chaque vers de chaque poème de chaque poète de chaque époque de chaque pays... Alors le monde ne sera plus qu'ordre et beauté, luxe, calme et volupté.

Et voilà, mes chers poètes, que je me transforme en professeur de diction ! Plutôt plonger dans vos œuvres en silence...

Merci quand même de me laisser vous voler quelques strophes de-ci de-là...

Serge Reggiani

À Boris Vian

Très cher Boris Vian,

En plus de trente ans de carrière, j'ai eu la chance de chanter des auteurs de grande qualité, Dabadie, Moustaki, Gainsbourg et autres Claude Lemesle. Mais j'ai pour toi une pensée particulière, car mes premiers pas dans cet exigeant métier, je les ai faits sous tes auspices.

Tout a commencé avec Jacques Canetti. Un soir, nous étions tous les deux invités chez Simone Signoret. Il était venu lui présenter la pochette d'un enregistrement de textes de Jean Cocteau qu'elle venait de réaliser. Impromptu, il me lança : «Et pourquoi ne chanteriez-vous pas ?» J'étais surpris, et vaguement flatté. «Pourquoi pas ?» lui répondis-je. Canetti me demanda mon numéro de téléphone, que je lui donnai sans y prêter plus d'attention. Mais il me rappela ! Dès le lendemain, j'étais en sa compagnie à Pleyel pour choisir des chansons. Et ces chansons, cher Boris Vian, étaient les tiennes...

Je ne me faisais guère d'illusions, me doutant bien que le métier de chanteur était aussi difficile que celui de comédien, mais Canetti, après tout, était «l'homme qui faisait chanter les acteurs».

L'aventure me tenta. Quel Italien aurait résisté à la tentation de chanter des chansons ? J'acceptai donc sans tarder, et mon premier disque vit rapidement le jour. Il était composé uniquement de titres de Boris Vian, pour la plupart inédits. La chanson phare de l'album était *Arthur, où t'as mis le corps ?*, l'une des plus drôles de ma carrière, pour laquelle je prenais une voix chevrotante et vaguement comique. Elle racontait l'histoire d'une bande de voleurs assassins qui confiaient à l'un d'entre eux, Arthur, l'escamotage du corps de leur victime. Mais le fossoyeur de pacotille égarait le cadavre, et tout ce petit monde finissait en prison. Arthur périssait trucidé par ses camarades, et son corps était à son tour égaré... Faire rire sur un tel sujet, voilà bien la preuve de ton génie !

Pour lancer le disque, Jacques Canetti eut l'idée d'organiser un concours radiophonique. Deux jours de suite, R.T.L. diffusa *Arthur, où t'as mis le corps ?* Les auditeurs devaient découvrir l'interprète de la chanson. « C'est le premier disque d'une vedette de l'écran », précisait chaque fois l'animateur, ajoutant que les cent premières bonnes réponses recevraient un exemplaire de l'album dédicacé par ce mystérieux interprète. Il n'y eut que trois réponses justes dans la montagne d'enveloppes envoyées à R.T.L. En revanche, des milliers d'auditeurs avaient, sans aucune hésitation, reconnu Louis de Funès ! *Sic transit gloria mundi...*

Heureusement, ce lancement cocasse et pour le moins raté n'empêcha pas le succès du disque, aidé par José Artur et récompensé en 1965 par le prix de l'académie Charles Cros. Il m'a fallu enchaîner rapidement avec une apparition sur scène, prévue le 30 janvier 1965 au Théâtre Gérard-Philipe de Saint-Denis. J'étais mort de trac, à tel point que je faillis m'enfuir et laisser la pauvre Catherine Sauvage me remplacer au pied levé. Mais je tins bon et, malgré la modestie de ma prestation, j'eus envie de persister dans la chanson : ma deuxième vie artistique commençait. Grâce à toi, je démarrais une nouvelle carrière sur les chapeaux de roue.

J'ai eu plus de mal ensuite, avec d'autres titres et d'autres albums. C'est sans doute pourquoi je garde une grande tendresse pour tes chansons. Je n'ai jamais donné de récital, je crois, sans en interpréter au moins une. Comme je suis plutôt réputé pour mes chansons d'amour un peu mélancoliques, la plupart de tes textes me permettent de glisser quelques minutes de drôlerie entre deux moments d'émotion. *Arthur, où t'as mis le corps ?* ou *la Java des bombes atomiques* en sont des exemples parfaits. Mais comment oublier une chanson aussi forte que *le Déserteur,* que j'ai repris à ta suite, au lendemain de mai 1968.

De ce succès, pauvre Boris Vian, tu n'as malheureusement rien vu : tu nous avais quittés en 1959, à l'âge de trente-neuf ans. Quel fulgurant destin que le tien : ingénieur diplômé de l'École centrale, trompettiste surdoué et passionné de jazz, fou de littérature, de toutes les littératures, des pastiches de romans noirs signés Vernon Sullivan jusqu'à la revue de pataphysique, en passant par *l'Écume des jours* ou *l'Arrache-cœur,* tes propres créations. Quand tu es mort, tu étais en train de terminer un opéra. Ne pourrait-on le monter aujourd'hui, même incomplet ? Je chanterais volontiers un petit rôle dans cet opéra-là.

159

J'aurais donné beaucoup pour que tu puisses m'entendre chanter tes textes, me conseiller, et, peut-être, qui sait, m'écrire des chansons « sur mesure ». Par bonheur, le hasard a voulu que je te rencontre brièvement quelques années avant de me mettre à chanter, ce qui me permet aujourd'hui de te tutoyer. J'avais alors des velléités de mise en scène, et, après avoir monté *Hamlet* au festival d'Angers, je souhaitais m'attaquer à je ne sais plus quelle pièce de Bertolt Brecht. La seule traduction française disponible m'effrayait, tant elle était laide. C'est alors que je t'ai contacté pour te demander une nouvelle adaptation. Tu acceptas sans hésiter. Pourtant, tu étais déjà malade, ce qui ne t'a pas empêché de donner une superbe traduction de la pièce, mais également des chansons composées par Kurt Weill. Je me suis rendu compte plus tard que je t'avais demandé là un effort considérable. Tu avais effectué ce travail du fond de ton lit. Je ne t'en remercierai jamais assez, comme je ne te remercierai jamais assez de l'héritage merveilleux que constituent tes chansons.

En t'écrivant ces mots, je pense à cette drôle de définition de l'existence que tu as donnée dans une chanson que j'ai enregistrée, *La vie c'est comme une dent* :

> *La vie c'est comme une dent (...).*
> *Et puis ça se gâte soudain,*
> *Ça vous fait mal*
> *Et on y tient (...).*
> *Et pour qu'on soit vraiment guéri*
> *Il faut vous l'arracher,*
> *La vie.*

J'ai voulu chanter une version enjouée de cette chanson. Pourtant, je sais que cette vie semblable à une dent, ce fut la tienne.

Trente ans que je chante et que je rêve de te voir un soir assis au milieu des spectateurs, à rire de tes propres textes.

À très bientôt,

Serge

À Charley Marouani,
Jacques Brel et Barbara

Très cher Charley,

Vous êtes à mes yeux le plus grand agent qui soit.

Un métier étrange, un métier de l'ombre, sordide ou merveilleux selon qui le pratique. Sordide si l'agent ne songe qu'à exploiter de jeunes artistes, à pressurer des talents pour les «pourrir» en quelques mois. Si l'artiste, monté au pinacle, ayant multiplié les passages à la radio et à la télévision, aligné quelques tubes, disparaît aussi vite qu'il a été révélé, jeté comme une écorce d'orange. Si l'agent, lui, ayant amassé un petit tas d'or et de royalties, s'empresse de passer à un autre gogo de la chanson ou du cinéma en lui faisant briller aux yeux le miroir aux alouettes de la gloire.

Vous, Charley, n'êtes pas de ces agents vampires, qui dévorent leurs enfants. Vous appartenez à l'histoire de la chanson française. Qu'il me suffise de citer vos célèbres «poulains», Jacques Brel et Barbara, dont vous avez été le second père, l'ange gardien.

Combien d'Icare avez-vous protégé des feux de la rampe ? Combien en avez-vous mené au succès

163

en leur épargnant la lassitude du public, les pièges de la ringardise, les incitant à ne pas trop suivre la mode pour mieux la devancer ?

Jacques Brel. Le grand Jacques fut-il le plus grand chanteur de notre époque ? Depuis sa mort, la chanson française est veuve, elle ne chante plus qu'une longue plainte à sa mémoire. Devant lui, nous sommes tous muets. D'admiration et de reconnaissance.

Il plaçait souvent parmi les premiers titres de son tour de chant *Amsterdam*, cette chanson très forte, très lente, terriblement difficile.

Au public, qui s'attendait à le voir entonner ces vers en plat de résistance, il les servait en hors-d'œuvre. Ce choix me surprenait toujours ; je pensais que Brel « gaspillait » cette chanson en la lançant ainsi à un public pas encore « chauffé ». J'ai compris plus tard combien il avait raison. En franchissant d'entrée cet obstacle majeur, il conquérait son public en trois minutes et pouvait désormais l'emmener où bon lui semblait. Commencer par une chanson très puissante, monter, monter en force encore et toujours, monter sans cesse en intensité, et ne jamais lâcher, jamais.

Un tour de chant, c'est avant tout un tour de force, et les chansons dites « de repos », en réalité, n'existent pas. Dans *le Plat Pays*, Brel devait maintenir la tension pour préserver l'émotion :

Avec la mer du Nord pour dernier terrain
[vague
Et des vagues de dunes pour arrêter les vagues
Et de vagues rochers que les marées dépassent
Et qui ont à jamais le cœur à marée basse...

Dans ce premier couplet, Brel retenait sa voix, ses gestes et son émotion, laissait sa chanson aller et venir comme vagues sur le sable, avec indolence, sans précipitation : un exercice épuisant, qui demande le plus grand contrôle de soi. Puis la «pression montait» au fil des couplets, pour finir en apothéose :

> *Quand le vent est aux rires, quand le vent est*
> *[au blé*
> *Quand le vent est au sud, écoutez-le chanter*
> *Le plat pays qui est le mien...*

C'est alors qu'il faut «ouvrir les vannes», débrider l'émotion, sentir son corps vibrer et se libérer de l'énergie accumulée. Qui parle de repos ? Rien n'est plus fatigant que de soutenir ce repos-là. À défaut de *Plat Pays*, je connais ce faux plat lorsque j'interprète *Il suffirait de presque rien* – une histoire d'amour entre un presque-vieux et une jeune fille :

> *Il suffirait de presque rien,*
> *Peut-être dix années de moins,*
> *Pour que je te dise «Je t'aime»,*
> *Que je te prenne par la main*
> *Pour t'emmener à Saint-Germain*
> *T'offrir un autre café crème...*

Je me souviendrai toute ma vie d'un soir fameux où le public, incapable de quitter l'Olympia après deux heures d'émotion, rappela et rappela sans cesse Jacques Brel. Il revint saluer devant le rideau baissé... en robe de chambre. C'était émouvant ; d'ailleurs, je pleurais au milieu du public, comme tant de spectateurs autour de moi. Arriverai-je un

165

jour au genou, même à la cheville d'un pareil artiste ? Jacques Brel n'était pas seulement un auteur-compositeur-interprète de génie : c'était avant tout un Homme. Et c'est bien rare, dans ce sacré métier de monstres sacrés !

L'un des secrets de Brel pour rester humble parmi nous, c'était l'humour. Un soir, je lui rendis visite dans sa loge quelques minutes avant le lever du rideau. Je voulais lui demander quelques lignes de sa main, un petit texte à glisser en guise d'introduction dans mon tout dernier album, prêt à sortir. Il acquiesça d'un sourire et m'écrivit immédiatement ce texte, d'une seule traite, sans une seule rature :

Mais oui, la tendresse se trouve encore des
[chevaliers !
Mais oui, l'amour s'offre encore l'âme d'un
[violon.
Mais oui, mes frères se découvrent encore un
merveilleux frère et se découvrent devant lui,
[comme moi.
Je vous laisse avec Serge Reggiani boire votre
[chance.
Et découvrir ou retrouver un gris tellement
[gris, que, tout à l'heure, vous découvrirez
[qu'il est bleu.

Brel était ainsi, poète dès qu'une plume touchait ses doigts. Pendant qu'il écrivait en silence, j'entendais dans la loge voisine les vocalises de sa partenaire, une Américaine qui l'accompagnait dans *l'Homme de la Mancha*. Un spectacle où Brel incarnait le plus fabuleux des personnages, Don Quichotte, auquel il vouait l'admiration que les

poètes accordent aux poètes. Les vocalises s'enrou-
laient les unes autour des autres, les aigus pous-
saient chaque fois un peu plus haut, et la voix lentement s'échauffait, s'arrondissait, trouvait toute
l'étendue de sa tessiture. Quand Brel me tendit son
petit texte, l'œil un peu fermé à cause de la cigarette qui lui pendait au coin de la bouche, je le
remerciai chaleureusement. Au même moment, le
régisseur frappa à la porte de sa loge et cria : «Ça
va être à vous, Monsieur Brel !» Brel se leva, écrasa
sa cigarette. Je me permis une question : «Mais
tu ne fais pas de vocalises ?» Brel me regarda en
souriant, ouvrit la bouche et me lança un simple
«Ah !». Puis il ajouta : «Voilà, c'est fait.» Et il sortit
de sa loge pour se lancer dans ce marathon vocal
qu'était *l'Homme de la Mancha*.

Un jour, il partit en Suisse pour apprendre la
navigation aérienne et maritime, ainsi que l'anglais.
En six mois, il était devenu capable de piloter
n'importe quel avion et de naviguer seul au large.
Il fit le tour du monde en bateau, heureux d'avoir
gagné la liberté absolue. Mais cet homme, si doué
et si décontracté en apparence, était un artiste torturé – et déjà malade. Un jour, très cher Charley, je
vous ai croisé par hasard et vous ai demandé de
ses nouvelles. «Il se repose en province», m'avez-
vous pudiquement répondu. En fait, Brel se prépa-
rait à la mort. Il dort depuis plus de quinze années
aux îles Marquises, où il pleut six mois par an.
Pourquoi ne leur a-t-il pas préféré Tahiti l'enso-
leillée, où je connais un cimetière si gai qu'il donne
presque envie de mourir ?

Jacques Brel a tout offert à son public, même sa
vie. Il s'est tué à la scène comme d'autres à la

tâche – s'il devait son cancer à la cigarette, le trac, qui ne le quitta jamais, avait préparé le terrain.

La chanson, sa raison de vivre, a sans doute été la cause de sa mort. Je ne veux pas le plaindre, car il n'aurait pas souhaité d'autre existence. Mourir foudroyé par son art est la plus belle mort, que l'artiste se nomme Rimbaud, Van Gogh, Gérard Philipe ou Jacques Brel. Chaque soir, à l'Olympia comme dans la plus humble salle des fêtes de sous-préfecture, il vomissait de peur, en coulisse, avant d'entrer en scène, et n'achevait son tour de chant que trempé de sueur des pieds à la tête. Je m'en souviens très bien : la transpiration faisait un rond humide sur les planches de l'Olympia, comme si Brel s'était écorché en chantant et que son sang eût coulé à ses pieds. Moi-même, mort de fatigue après une heure et demie de scène, je ne suis vraiment satisfait que si ma précieuse assistante Liliane Bouc me change de pied en cap à l'entracte et à la fin du récital. Crevé et ruisselant, mais content, comme semble l'être le public. Barbara m'a dit un jour : « Si vous n'êtes pas trempé des pieds à la tête à l'entracte, c'est que vous n'avez pas donné le meilleur de vous-même. » Une remarque que j'ai toujours à l'esprit..

Ce n'est pas le hasard, très cher Charley, si j'évoque Barbara. Elle n'est pas seulement une immense artiste. Ma carrière de chanteur lui doit également beaucoup. Elle est, elle aussi, l'un de vos « enfants » turbulents depuis toujours.

J'ai été repéré par Jacques Canetti, et paré pour mes débuts d'une ribambelle de chansons de Boris Vian, cadeau merveilleux pour commencer une carrière, mais cadeau empoisonné, car elles sont difficiles à interpréter. Au cours d'une émission de télévision, je devais en chanter quatre. Je dus quitter le plateau après la deuxième, tant je me trouvai calamiteux.

Un soir, je me rendis au cabaret La Tête de l'Art où chantait Barbara. Je ne la connaissais pas personnellement, mais je suis allé la saluer dans sa loge. Je voulais lui parler chanson. Là, elle m'offrit de faire sa première partie en tournée. J'étais conquis. La tournée dura vingt jours, à la suite de quoi je décidai de me produire en récital.

Très cher Charley, jamais je ne monterai sur scène pour chanter sans avoir obtenu votre blanc-seing. Il y a quelques années, fatigué après deux «accidents» que je qualifierais de «volontaires», je m'étais permis d'annuler un certain nombre de récitals. J'ai compris que, si je continuais sur cette pente, vous refuseriez bientôt de vous occuper de moi. La seule pensée de cette séparation me fut insupportable. Cette peur, croyez-moi, n'est sans doute pas étrangère à mon sursaut. C'est un peu grâce à vous que je suis reparti du bon pied et que j'ai pu chanter de nouveau.

J'espère que mon dernier disque vous a plu, et que nous pourrons bientôt retourner ensemble, moi dans la lumière et vous dans la coulisse, à la rencontre du public.

À bientôt donc,

Serge

À mes auteurs et compositeurs

Un jour, j'aimerais vous voir réunis devant moi pour un récital privé. Tous. Vous qui m'avez offert tant de mots et tant de notes en trente ans de carrière, vous qui m'avez aidé à bâtir mon «répertoire». Je chanterais alors pour vous mes meilleurs titres, et chacun reconnaîtrait sa création. Ces chansons sont un peu nos enfants communs... Seriez-vous un public difficile ? Je ne le crois pas. Exigeant, sans nul doute, car vous surveilleriez la moindre syllabe, la moindre note. Mais vous ne seriez en rien un public blasé, froid et assoupi dans vos fauteuils. Car la chanson, c'est notre commune passion. Quelle merveilleuse soirée nous passerions !...

... Quelle merveilleuse soirée nous allons passer ! Vous êtes là soudain, tous assis devant moi, dans cet Olympia imaginaire. Avant de chanter vos œuvres, je vous adresse ces quelques mots, devant le rideau encore fermé. Pardonnez-moi de commencer par une brève autocélébration, mais, le saviez-vous ? mon premier auteur, c'est moi. Certes, je n'ai pas signé de chanson complète, mais beaucoup d'idées germent dans ma tête. Je n'aurais ni la patience, ni sans doute le talent de les mener

171

à maturité, de ciseler couplets et refrains calibrés et harmonieux. Rarement, très rarement, je jette sur le papier dix ou douze lignes vaguement versifiées. Je les transmets ensuite à Jean-Loup Dabadie ou Claude Lemesle, qui, d'emblée, me disent si une chanson se cache ou non derrière l'esquisse. Et si tel est le cas, à eux de la débusquer et de me la rapporter pieds et poings liés, bien «peignée», prête à mettre en musique. En revanche, si mes gribouillis ne les inspirent pas, je les livre aux souris.

À vous tous, mes auteurs et compositeurs, mes compagnons de la chanson, je veux dire mon admiration, et rembourser de quelques mots affectueux une partie de ma dette. Le public qui vient m'écouter ne sait pas toujours que je ne suis pas l'auteur de mes chansons. Il me les attribue. De toute ma voix, du plus profond de moi-même, j'essaie de leur livrer un peu de mon âme, de les peindre à mes couleurs. «Interpréter» est le bon mot, car il ne signifie pas «transformer» ni simplement «répéter».

Sachez, vous tous, que j'essaie, par mon travail, d'être à la hauteur de votre talent. Tous les jours, mon chef d'orchestre et pianiste Raymond Bernard me fait travailler trois heures environ à la mise en place musicale. J'ai eu et j'ai la chance de profiter des musiques d'Alain Goraguer, de Pierre Tisserand, de Jacques Datin, de Louis Bessières, de Christian Piget, de Bourgeois et Rivière, de Bourtayre et de tant d'autres.

Je ne puis oublier Michel Legrand, avec qui nous pratiquons le même enfantillage à chacune de nos rencontres : soit nous nous tassons pour être plus petit l'un que l'autre, soit nous nous dressons sur la pointe des pieds pour dominer le voisin. Je suppose que ce jeu ne fait rire que nous. Michel Legrand porte toujours autour du cou une étrange écharpe : ce sont deux pianos muets, deux claviers imprimés sur lesquels il laisse en permanence courir ses doigts, pour entretenir leur agilité. Conscience professionnelle ! Il est le premier à m'avoir enseigné l'importance du «décalage» : prononcer un mot un tout petit instant avant ou après la note qui doit l'accompagner, pour donner du relief. Raymond Bernard, mon pianiste et chef d'orchestre, ferme les yeux sur ces licences, à condition que je tombe pile sur les harmonies et que je reste dans la mesure. J'ai en effet une fâcheuse tendance à «filer» trop vite sur les harmonies, ou au contraire à traîner un peu. L'explication en est toute simple : je suis doué d'une oreille certaine, mais je manque totalement de confiance en moi. On me rétorquera qu'après trente ans de chanson et de scène il serait temps d'acquérir un semblant d'assurance ; hélas, je dois avouer qu'avec le temps, cela empire...

Le chemin que prend une chanson pour aller de la plume de son auteur à la bouche de son interprète n'est jamais le même. Il m'a fallu attraper au vol *Maxim's*, de Serge Gainsbourg, tandis que Claude Roy m'a fait un bien étrange cadeau. Je lui demandai un jour de m'écrire une chanson qui m'obligerait à mimer une sorte de dessin dans le ciel ; quelques jours plus tard, il m'apportait un texte intitulé : *Dessin dans le ciel*. Peut-on rêver plus belle collaboration ? La chanson, de surcroît, est une merveille :

Quand vous entrez dans la galaxie,
Vous prenez tout droit entre Vénus et Mars,
Vous évitez Saturne, vous contournez Triton,
Vous laissez la Lune sur votre droite...

Vous tous, amis auteurs, comprendrez que j'évoque plus longuement Claude Lemesle. Je ne m'attarderai pas sur ses qualités humaines, que vous connaissez, ni sur la générosité de ses chansons. Je veux seulement dire que Claude est mon ange gardien.

L'enregistrement de mon avant-dernier disque fut un peu laborieux. Je n'étais pas en forme le premier jour, et Claude dut remettre la séance pour me laisser rentrer chez moi et me reposer. Il en fut de même à la deuxième séance, puis à la troisième. Le quatrième jour, cher Claude, tu m'as jugé assez en forme pour travailler. Tu ne laissais rien passer : pas la plus petite note douteuse, pas la moindre articulation bizarre. Rien ! Grâce à toi, j'ai réalisé un excellent album, meilleur que ce que ma forme me laissait espérer.

Mes chers auteurs, mes chers compositeurs, croyez que je fais tout mon possible pour servir au mieux vos chansons, même si le public n'est pas toujours facile. Quand la musique d'introduction de mes récitals s'élève – le plus souvent, c'est celle de *Ma liberté*, de Georges Moustaki –, je touche du bois dans la coulisse, y compris le bois de ma tête, qui est fort dur. Dès cet instant, je devine si la salle est bonne ou difficile. Chaque soir est un défi, chaque salle est un jury tout neuf qu'il faut convaincre. La conséquence est double : d'abord le trac, car on ne joue pas sa réputation sans être dévoré par la peur ; ensuite la nécessité du travail, car, à cette roulette russe, il n'y a pas de hasard.

J'ai pour vous tous, à ce propos, une terrible nouvelle : il est hors de question que je prenne ma retraite. Il vous faudra donc écrire encore et encore des chansons pour Moi. J'aurai bientôt soixante-treize ans sur les épaules et dans la tête, mais cela ne m'empêchera ni de chanter, ni d'écrire, ni de peindre. Je chanterai sénile, je chanterai épuisé, je crois que je chanterai muet, et même mort. Tenez-vous-le pour dit.

Je ne puis bien sûr vous citer tous. Vous avez été si nombreux, depuis trente ans, à me faire partager vos talents si divers. Cette lettre, je vous l'adresse collectivement, sans distinction d'âge ou de célébrité. Je vous vois tous assis dans l'ombre à m'écouter parler. Quand bien même je passerais la nuit à vous citer, je ne saurais vous nommer tous – d'autres ne sont passés qu'en un éclair dans ma vie de chanteur, le temps de trois couplets et d'un refrain, le temps de ces quelques minutes de poésie qu'on appelle une chanson.

Je ne finirai pas sans vous parler des auteurs et musiciens auxquels, malgré tout, va ma préférence – me pardonnerez-vous ce favoritisme ? Je pense d'abord à Célia Reggiani, à qui je dois la musique du *Lit de Madame*. Célia préfère le jazz à toute musique et composera un jour une mélodie jazz pour l'une de mes chansons. Je pense également à Carine Reggiani : elle a écrit, avec son mari Jean-Paul van der Bosche, une superbe chanson, *Dorian Gray*, que j'interpréterai aussi. Le sujet n'est pas une surprise : Jean-Paul est un excellent peintre, qui m'a beaucoup aidé à mes débuts de barbouilleur. Et puis il y a Maria Reggiani, qui compose... des films. Mais il faut une musique et un interprète à une chanson de film; alors, pourquoi pas moi? Et Simon Reggiani, qui a été – quel privilège! – le sujet d'une de mes chansons, *le Temps petit Simon*. Enfin, Stephan Reggiani, avec qui j'ai partagé la scène de Bobino, et qui n'a pas souhaité, un soir, partager plus longtemps avec nous la lumière du jour et la couleur du monde...

Voilà, mes chers auteurs-compositeurs, l'hommage que je voulais vous rendre avant de chanter vos chansons. Vous êtes assis, comme il se doit, à l'orchestre, le rideau va se lever, notre travail commun va prendre chair. Puissé-je être à la hauteur.

Musique!

Serge Reggiani

À Maurice Casanova

Mon cher Maurice,

Qu'il est loin, le temps où tu dirigeais Le Bilboquet, le cabaret de la rue Saint-Benoît, en sur-
veillant du coin de l'œil un restaurant que tu avais
acheté, un peu plus bas dans la même rue, pour le
confier à Carlos, déjà gros, déjà barbu et déjà sympathique. Tu lorgnais sans doute sur les Champs-
Élysées, en particulier sur ce coin de trottoir où tu
allais trôner bientôt, aux commandes du Fouquet's.
Qu'il est loin, ce temps, et pourtant qu'il est
proche dans ma mémoire. À l'époque, déjà, je
picolais un peu, et tu me le reprochais. Je fumais
déjà beaucoup, et tu me le reprochais aussi. Eh
bien ! tes leçons ont porté, même si le mauvais
élève que je fus a mis un peu de temps à comprendre la leçon. Je ne bois plus. D'ailleurs, je lui
ai dit ma façon de penser, à ce satané alcool. En
revanche, je n'ai pas encore arrêté de fumer, mais
je m'y efforce, attaquant par la médecine ce qu'on
croit être un vice et qui est une maladie : acupunc-
ture, auriculothérapie et autres pratiques ésoté-
riques sont désormais à mon programme.
Certains plaisirs, néanmoins, ne me sont pas
défendus, bien au contraire : ainsi, ceux de la

177

table, à commencer par celle de ton excellent Fouquet's. En passant le long de l'avenue mythique, les touristes regardent toujours avec admiration ta devanture rouge frappée de lettres d'or. Tu veilles encore, malgré le temps qui passe, sur les destinées de ton établissement, et tu as même ouvert un second Fouquet's à la Défense, entre Arche et gratte-ciel. Ainsi va la vie : le haut lieu gastronomique du siècle futur est peut-être ce Fouquet's implanté sur les terres du business, comme le premier l'est dans les jardins du tourisme romantique des Champs-Élysées.

Tes clients, en franchissant le seuil de ton restaurant, aperçoivent sur leur droite une compression de César, bien plus haute que celles que l'on remet en guise de trophée lors de la fête du septième art. En la regardant de plus près, les convives du Fouquet's peuvent y distinguer des couverts de vermeil entrelacés – quoi de plus naturel dans un restaurant ? Mais ils ignorent, et peut-être toi-même ignores-tu aussi, d'où proviennent ces couverts sacrifiés à l'autel de l'art. Ce service complet a appartenu à Noëlle Adam, ma compagne depuis vingt-cinq ans. C'est elle qui l'a offert à César, lequel s'est empressé de le compresser ; puis son œuvre a suivi un circuit chaotique avant d'aboutir dans ton antichambre.

J'espère que ce souvenir t'amusera ; je t'aurai payé ainsi, d'une anecdote, l'un des repas que tu m'as offerts lorsque mes poches étaient vides. Je n'avais à l'époque qu'une seule possibilité pour me nourrir : aller te voir en espérant – ce que tu ne manquas jamais de faire – que tu me gratifierais d'un repas « à l'œil ». C'est ainsi que j'ai survécu, dînant au-dessus de mes moyens.

Cher Maurice, garde précieusement la compression de César, qui te vient indirectement de Noëlle – c'est-à-dire de moi-même, tant nous sommes unis. C'est un peu comme si je veillais sur toi. Et si cette œuvre d'art brille la nuit quand les lumières des Champs s'éteignent et que tu fermes ton restaurant, songe que c'est ma gratitude et ma tendresse qui luisent ainsi dans l'ombre.

Je pense à toi et t'embrasse,

Serge

Alcool, tu m'as fait payer ton prix – et je ne parle pas de monnaie sonnante et trébuchante.

J'ai été sous ta coupe, j'ai subi tes exigences, j'ai failli te donner ma vie.

Je sais qu'il existe une issue, et une seule, à cet enfer qu'on appelle l'alcoolisme et qu'il vaudrait mieux appeler « maladie alcoolique ».

Satanée bouteille, te vider n'apporte rien. Les éléphants roses n'existent pas, l'ivresse n'abrite que les noirs serpents de la douleur et de la déchéance. On boit pour une seule raison : pas pour oublier que l'on boit, comme ce personnage du *Petit Prince*, mais pour oublier tout le reste et échapper à la dépression. L'alcool est un euphorisant qui empêche de « craquer ». Je le sais. Je l'ai vécu et l'ai chanté dans *la Chanson de Paul*, l'histoire d'un homme qui se remet à boire malgré ses promesses, parce qu'il est dépressif :

> *Je bois...*
> *Aux femmes qui ne m'ont pas aimé,*
> *Aux enfants que je n'ai pas eus,*
> *Mais à toi qui m'as bien voulu...*

Le salaud qui mérite une lettre, c'est toi, saloperie d'alcool. Tu repousses la déprime, mais le réveil n'en est que plus douloureux, pas à cause de la gueule de bois, mais parce que la chute est terrible. Il faudrait rester imbibé d'alcool en permanence pour ne jamais revenir à la réalité ; alors la mort serait vite au rendez-vous. L'alcool est une forme de suicide.

Le lendemain d'un alcoolique est forcément fait d'alcool. «Qui a bu boira», dit-on ; il est si terrible, le réveil, qu'il n'est pas d'autre remède que de boire de nouveau. Et boire, et boire, et boire encore : c'est l'enfer, l'assommoir.

Seule l'abstinence soudaine et totale permet de s'en sortir. Pour ma part, j'ai décidé de m'accrocher, de lutter de toutes mes forces pour ne pas rechuter.

J'ai un slogan : «Un verre, c'est trop ; deux verres, c'est pas assez.» Une seule goutte est fatale à celui qui replonge. «Une larme», «un doigt», «un soupçon», «un petit coup»... toutes expressions stupides et criminelles. Le médecin m'avait d'ailleurs prévenu : «Il faudra tenir le coup.» «Quel coup ? me disais-je. Coup de whisky ou de vodka ?»

Le seul vrai conseil à donner est que cela vaut la peine de s'abstenir. Le plus difficile est de prendre la décision. Ensuite, tout coule comme de l'eau... Je ne bois plus que ça, d'ailleurs, et je redécouvre la vraie vie. Bien sûr, il faut demeurer vigilant, chasser la tentation dès qu'elle vous nargue. Quand l'idée même de l'alcool vous vient en tête, sortir dans la rue, faire une bonne marche, ou se mettre au travail... Cirer ses chaussures, frotter le parquet, laver sa voiture, tout est bon pour chasser l'alcool de ses pensées. Moi, j'ai commencé une chanson sur l'alcool – ou plutôt contre lui :

> *Alcool, alcool,*
> *Tu nous arnaques.*
> *Alcool, alcool,*
> *Qu'est-ce que tu traques ?*
> *Alcool, alcool,*
> *Qu'est-ce que tu caches ?*
> *Qu'est-ce que tu gâches ?*
> *Tu t'ramènes sur la pointe des pieds,*
> *On n'sait plus comment se passer*
> *De ton poison...*

Je l'achèverai peut-être, sur cette strophe dédiée au tabac :

> *Le tabac tue.*
> *Enfin m'oublieras-tu,*
> *Maudite nicotine ? ...*
>
> *L'alcool me tue.*
> *Enfin m'oublieras-tu,*
> *Sacrée Bénédictine ?*

J'ai totalement cessé de boire. Pas la moindre molécule d'alcool.

Mais j'ai plus de mal à jeter la cigarette. N'empêche : mes disques devraient être remboursés par la Sécurité sociale...

Je ne peux oublier que l'alcool a tué mon ami Michel Auclair. Sauvé de justesse d'une embolie pulmonaire, «une larme» d'alcool lui a été fatale.

Dans certaines familles, on donne du vin aux jeunes enfants, pour «faire du sang». L'enfant boit un verre au repas, l'adolescent en boira deux et le jeune homme dix. Puis c'est le service militaire. En sortant de la caserne, comment notre alcoolique se douterait-il qu'il a été «contaminé» en culottes courtes?

On demanda un jour à Jacques Prévert pourquoi il ne buvait plus. Lui, qui aurait vendu son âme pour un bon mot, répondit : «Parce que j'ai tout bu!» C'était une boutade. Prévert ne buvait plus parce qu'il voulait vivre, tout simplement.

J'ai été sauvé par mes docteurs, j'ai été sauvé par ceux qui m'aiment. Moi aussi, je veux vivre, je veux vivre!

Serge Reggiani, chanteur abstinent

À Michel Piccoli

Mon très cher Michel,

J'ai la joie, ces jours-ci, de te voir souvent à la télévision et de t'écouter sur les ondes. Tu as été choisi pour servir de «parrain» au cinéma, notre bon vieux cinéma, qui fête ses cent ans. On ne pouvait faire meilleur choix : tu es un fidèle serviteur du septième art depuis le début de ta carrière. Je suis certain qu'en mettant bout à bout les films que tu as tournés, on pourrait emballer toute la planète dans de la pellicule !

En te regardant et en t'écoutant défendre et honorer le cinéma, bien mal en point dans notre pays, je peux vérifier – ce qui ne m'étonne guère – que ton intelligence est toujours aussi vive, ton sens de la repartie intact. Je suis épaté, surtout, par ta résistance au temps qui passe. Tu as gardé cette élégance racée, cette précision du geste et cette douceur du regard que tu avais déjà à tes débuts. À cette époque, ta démarche, souple et sereine, était celle de quelqu'un qui voit et qui aime, la démarche de quelqu'un qui est aimé en retour.

Tu n'as jamais «fait» jeune. Ce n'est pas une question d'âge, mais de maturité. Tes personnages

185

donnaient toujours l'impression d'avoir vécu, de tout connaître de l'existence, et d'avancer, un rien désabusés, à travers les choses de l'amour et « les choses de la vie », pour reprendre le titre de l'un de tes meilleurs films. Dans *Vincent, François, Paul et les autres,* tu incarnais François, un docteur voué à la médecine sociale qui se laissait lentement gangrener par l'appât du gain, devenait un praticien arriviste et finissait par acheter sa propre clinique. Paul – mon personnage – se moquait de toi, à table, devant nos amis réunis. Je me moquais de toi et tu le prenais mal. Tu te levais et tu sortais dans la cour, où je te rejoignais. Et là, les larmes aux yeux, François avouait à Paul qu'il avait raison, que cette ambition tardive le dégoûtait de lui-même. Le souvenir de cette scène reste gravé en moi. L'entente, à cet instant, était parfaite entre nous : une unité de jeu et une sincérité inoubliables.

Si tu es aussi bien « conservé », comme on dit vulgairement, tu le dois peut-être à tes réflexes étonnants. Un jour, pour plaisanter, j'ai essayé sur toi une prise de karaté, un coup de pied à la poitrine. Je n'avais pris que neuf leçons, mais c'était suffisant, avec l'effet de surprise, pour te toucher sans te faire mal. À mon grand étonnement, tu as eu un réflexe formidable, levant ton genou en parade. Tu avais réagi d'instinct, comme un félin, sans réfléchir ni rien perdre de ton élégance. Quel style ! Je n'ai jamais recommencé.

Tu as le regard d'un homme qui aime et qui sait regarder. Tes yeux ont toujours exprimé la plus grande curiosité. Ce regard n'est pas inquisiteur, mais avide de tout voir et de tout savoir, de tout

186

connaître. Je ne t'ai jamais vu porter de lunettes. En as-tu seulement besoin? Peut-être les chausses-tu uniquement pour lire? Mais je ne t'ai jamais vu lire non plus. Peut-être parce que tu as tout lu? Tout, mais pas Panaït Istrati. C'est l'un de mes auteurs préférés. Je te le recommande. Si tu peines à les trouver, je te ferai parvenir certains de ses ouvrages. Peut-être Ludivine les lira-t-elle avant toi et te donnera-t-elle son avis. Je me souviens du jour où tu nous as présenté, à Noëlle et à moi, ta compagne. Après les salutations, alors que nous nous apprêtions à déjeuner, je t'ai glissé à l'oreille: «Elle est vraiment belle.» Tu m'as répondu dans un sourire: «Elle est encore plus belle à l'intérieur...» Peut-on faire plus beau compliment à une femme? J'aurais aimé en être l'auteur.

Fête bien les cent ans du cinéma en attendant de fêter les tiens!

Vive le cinéma, vive Michel Piccoli!

Serge

À Roger Hanin

Très cher Roger,

À quand la belle ?

Oui, je sais, tu m'as battu à notre dernière partie de mora, mais ce n'était qu'une revanche : j'avais gagné la première manche sans effort.

Permets que je te rappelle les règles, pour éviter toute tricherie. Lorsque tu la montreras à tes amis, cette lettre pourra faire office de « manuel de mora ». Chacun avance une main, les doigts tendus, pour annoncer un chiffre de zéro – le poing fermé – à cinq – la main grande ouverte. L'autre main demeure cachée. Les deux joueurs annoncent, à voix haute, un chiffre de zéro à dix. Celui dont l'annonce correspond au total des deux mains marque un point. La partie se joue en cinq points gagnants. Je sais que tu voudras jouer la belle en sept points et, pour ne rien te cacher, cela m'arrange, car j'aurai ainsi le temps de me « chauffer ». La mora n'est pas un jeu de réflexion, mais plutôt de réflexe. Le joueur inexpérimenté est tenté de sortir deux fois de suite le même chiffre, ce qui permet à l'adversaire de corriger son total.

Quand je t'aurai battu à la mora – car je te battrai, sois-en sûr –, je t'apprendrai le *scaccia quindici*, c'est-à-dire le « Chassez le quinze ». Le principe est le même, mais chaque point se joue en deux coups. Le premier donne un total initial, qu'il faut ensuite compléter pour approcher au second coup le nombre quinze sans jamais le dépasser. Si, au premier coup, un joueur tend trois doigts et l'autre quatre, le total est de sept ; si les deux joueurs récidivent au second coup avec les mêmes chiffres, le total final est de quatorze : c'est parfait. Et difficile à battre. J'ai joué des parties effrénées de *scaccia quindici*, il y a bien longtemps, au Bilboquet, le bar que tenait Maurice Casanova rue Saint-Benoît. Comme il est permis de réfléchir entre les coups, chaque joueur avait son « soigneur », son « coach », qui lui donnait des conseils discrets, mais également ses supporters, qui suivaient la partie par-dessus, au balcon, en hurlant des combinaisons.

Très cher Roger, j'aime à te voir interpréter *Navarro*. La plupart des films, aujourd'hui, sont « surjoués ». Les acteurs se croient au théâtre. Or, devant une caméra, il ne s'agit pas de jouer, mais simplement d'être. Et cela, tu le sais – et tu le fais – à merveille, avec un charme et une chaleur inimitables. Tu sembles placide, mais je sais que tu ne l'es pas réellement. Tu es un acteur, donc tu es un homme inquiet. Et tu as de bonnes raisons de l'être, car je dois maintenant te laisser pour retourner m'entraîner à la mora, en vue de notre prochain affrontement... J'ai quelques bottes secrètes dont je te réserve la surprise.

À très bientôt,

Serge

À la Colombe d'Or

Voilà des siècles que je ne suis pas venu à Saint-Paul-de-Vence goûter le soleil servi en tranches épaisses sur la terrasse, l'après-midi. Voilà des siècles que je ne suis pas venu à la Colombe d'Or, lieu si bien nommé : la colombe pour la paix qui régnait ici, loin du monde, et l'or de votre grande générosité. Voilà des siècles que je ne suis pas venu vous embrasser.

C'est une foule d'absents, il est vrai, que je retrouverais dans votre salle à manger. Où sont ceux que j'ai rencontrés chez vous, avec qui j'ai passé tant d'heures ? Pablo Picasso et Charlie Chaplin d'abord, eux qui étaient, au milieu de nous, les génies du siècle. Lino Ventura, Jacques Prévert, Georges Braque, Jean Cocteau, Jean-Paul Sartre et Simone de Beauvoir, Yves Montand et Simone Signoret, Henri-Georges Clouzot... Mais également Jacques le Tisserand, Pierrot le barman, et bien sûr Titine, qui portait toujours la même robe noire, sobre et très serrée, qui lui donnait un petit air sévère, elle qui veillait sur notre troupe turbulente.

Où sont les années heureuses de la Colombe d'Or ? Nous avons tous vieilli, nous nous sommes craquelés comme certaines des toiles de votre salle

191

à manger. Seul le paysage a dû rester le même, bleu et doré. Et cette lumière blonde qui caressait la terre devant nous ! Ces émotions renouvelées, comme Cézanne en connut devant la montagne Sainte-Victoire, ne sont pas étrangères à ma tardive passion pour la peinture. Je vous apporterai un jour une de mes toiles, que vous ne cacherez pas, j'espère, derrière je ne sais quoi...

Que votre Colombe ne s'envole pas, que son or ne se mue pas soudain en plomb. Que la Colombe d'Or demeure en ce monde comme la preuve qu'il existe un paradis terrestre : un petit coin de Provence où le temps s'arrêtait pour nous, un petit coin de soleil béni des Dieux.

Je vous embrasse,

Serge

À Pablo Picasso

Très cher Pablo,

Rassurez-vous, je ne vous parlerai ni peinture, ni sculpture. Pourtant, c'est par vous que je suis venu, à mon heure, à la «barbouille». J'ai osé. Oui, j'ai osé, et c'est grâce à vous.

On a dit mille fois quel personnage vous avez été. Exceptionnel en tout, en tout démesuré. Mais qui se souvient de votre humour (et aussi – hein, Pablo ? – des frasques de vos jeunes années...) ? Si la peinture était votre métier, l'humour était votre violon d'Ingres – si j'ose dire...

Je vous revois dans votre magnifique maison de Super-Cannes, vous amusant à vous grimer en clown. Vous aviez acheté une perruque verte que vous enfiliez sur votre crâne tout rond, avec une joie de petit garçon ; vous observant du coin de l'œil dans votre miroir, vous y aperceviez vos joues couvertes de blanc, vos grosses lèvres rouges et votre nez de caoutchouc. Et de rire et rire encore à découvrir cette bille de clown qui était la vôtre. Puis, vous vous débarbouilliez avant d'inventer, de vos doigts habiles, un autre maquillage. Chaque fois différent : dix, cent, mille, dix mille clowns ont dû défiler ainsi devant votre petit miroir. Et Pablo le peintre de rire de plus belle à la vue des pierrots créés par Pablo le clown. Les maquillages étaient colorés et audacieux, très loin des faciès classiques de clowns de cirque. Picasso le clown semblait surgi d'une autre planète. En fait, le visage de Picasso servait de toile à Picasso, pour de drôles d'autoportraits qu'un coton humide effaçait à jamais... Quelle chance d'avoir pu admirer dans leur fulgurante existence ces tableaux sur visage humain : peut-on mieux faire corps avec sa peinture ?

Votre humour, Pablo, était vif et léger ; vos reparties fusaient du tac au tac. Un jour, vous déjeuniez à Vallauris avec votre épouse Jacqueline, et, en attendant le plat que vous aviez commandé, vous dessiniez sur la nappe de papier. Votre main glissait en silence autour des couverts. Lentement, un dessin voyait le jour. À la fin du repas, comme vous vous apprêtiez à payer l'addition, le patron, affable, n'a rien voulu savoir. « Mais non, Monsieur Picasso. Pour vous, c'est gratuit. » Plus malin que généreux, il lorgnait sa nappe à trois sous transformée en toile de maître. Vous n'étiez pas encore sorti, cher Pablo, que le patron déjà vous rattrapait : « Maître ! Maître ! Vous avez oublié de le signer ! » Alors, vous retournant sur le fâcheux, une lueur malicieuse à l'œil, vous lui avez lancé dans un grand sourire : « Je paye l'addition, je n'achète pas le restaurant... »

Ce dessin – qui la méritait sans doute – n'a pas eu droit à votre signature, alors que d'autres toiles qui ne vous doivent rien l'arborent encore fièrement. Plus généreux que jamais, vous avez accepté

194

plusieurs fois de signer des toiles de peintres espa-
gnols qui s'étaient avisés de peindre « à la manière
de Picasso ». En une seconde, de quelques pesetas,
la valeur du tableau grimpait à plusieurs dizaines
de milliers de dollars : un seul coup de poignet au
monde a-t-il jamais valu aussi cher, même le smash
vainqueur d'un finaliste de Wimbledon ? Cinq ou
six œuvres se promènent donc à travers le monde,
qui ne sont pas de votre pinceau, mais sont
signées de votre main. Leurs heureux propriétaires
savent-ils qu'ils possèdent de « vrais-faux Picasso » ?

Votre humour, cher Pablo, savait être cruel, quand
il s'exerçait aux dépens de méchantes personnes.
Un fort célèbre émule de Franco eut un jour
l'audace de se présenter à vous, l'antifranquiste de
la première heure, l'auteur de *Guernica*, que vous
veniez justement d'achever. Et vous le lui avez
montré, ce *Guernica* qui montrait toute l'horreur
franquiste, toute la barbarie nazie. Sans vous, Pablo,
sans votre chef-d'œuvre, cette ville martyre serait
tombée aux oubliettes de l'Histoire. Vous l'avez
brandi à la face de votre impudent visiteur, en le
regardant droit dans les yeux. « C'est vous qui avez
peint cela ? » vous a-t-il demandé. Et votre réponse
est tombée, cinglante et définitive : « Non, c'est
vous. » Le franquiste en question était peintre : il
s'appelait Salvador Dalí.

Très cher Pablo, j'ai fait votre connaissance par
l'entremise de Dora Maar, votre première épouse,
que j'ai bien connue. J'habitais alors rue de Savoie,
à Paris. Votre atelier de la rue des Grands-Augus-
tins était à deux pas. Cher Pablo, vous n'étiez pas
tout à fait chauve encore... Dora Maar possédait

l'un de ces très rares tableaux cubistes de votre main, qu'il est si difficile de différencier de ceux de Georges Braque, votre ami. Au journaliste imbécile qui vous demandait en quelle estime vous teniez celui-ci, vous avez même répondu : «Que peut-on penser de son propre frère ?»

Les jaloux, bien sûr, n'ont pas manqué de répéter, histoire de vous diminuer un tantinet, que vous aviez été influencé par de nombreux autres artistes. Qui ne l'a pas été ? Quel maître n'a pas d'abord appris son art auprès de ses aînés ? Il faut ensuite s'en libérer, certes, affirmer son propre talent. Et c'est ce que vous avez réussi à faire, Pablo, car laquelle de vos toiles, laquelle de vos sculptures, laquelle de vos céramiques n'est pas une œuvre strictement personnelle ? C'est ainsi que vous êtes devenu l'un des plus grands de la peinture, et ce sont les autres, désormais, qui subissent votre «influence». De l'art abstrait, les béotiens ne disent-ils pas : «On dirait du Picasso...» ?

J'ai eu le privilège de vous connaître mieux encore lorsque vous viviez à Super-Cannes, puis dans votre curieuse maison de Notre-Dame-de-Vie, un nom qui semblait fait pour vous. Dans cette demeure, que vous partagiez avec Jacqueline, votre ultime épouse, un ascenseur menait à l'étage, où s'étalait au soleil une grande terrasse. C'est là que vous vous donniez entièrement à votre art. Et ce travail qui émerveillait les foules ne vous satisfaisait pas entièrement, tant vous étiez exigeant. Souvent, vous nous invitiez, Noëlle Adam-Chaplin et moi, à venir contempler une œuvre en cours, mais il n'était pas question de donner notre avis. «Je préfère cette toile à celle-là», ou «Le tableau accroché en haut à droite me plaît plus que celui du fond » étaient des phrases interdites. Jacqueline nous faisait des signes discrets dans votre dos, nous intimant l'ordre de nous taire. Alors, nous regardions en silence les merveilles exposées en vrac devant nous, le fruit de votre labeur, de votre génie. Je suis certain cependant que votre modestie naturelle aurait admis, sinon aimé, nos éventuelles critiques.

Quel lien mystérieux, cher Pablo, vous attachait à votre art ? Je garde précieusement une photo qui vous montre émerveillé, bouche bée devant un petit objet. Et cet objet n'est pas un bronze rare, ni une pierre précieuse ou un fragment d'amphore grecque, mais simplement... une casquette tricotée à la main. Vous la scrutiez d'un regard fasciné, comme si le savoir-faire qui avait aligné les centaines de mailles parfaitement identiques les unes aux autres était le sommet de l'art. Je me souviens également de votre extase à la vue d'un oursin-crayon que j'avais rapporté de Tahiti. Vous l'avez retourné dans tous les sens, l'observant de vos grands yeux écarquillés, puis vous m'avez regardé en disant : «Jamais je ne pourrai le reproduire, même déformé. »

Si vous aimiez tant les déformations, ce n'est pas parce que vous aviez l'esprit tordu, mais parce que vous cherchiez à peindre et dessiner comme savent le faire les enfants. Retrouver cette fraîcheur, cette innocence de l'art pur. Sans faire pour autant n'importe quoi. «Picasso ? Mon fils fait la même chose tous les jours à l'école ! » disent les imbéciles. Sottise ! De quel don, de quelle technique faut-il disposer pour atteindre à cette simplicité, échapper à tous les préjugés qui dévient le pinceau, l'empêchent d'être libre sur la toile, forcent à peindre de façon convenue ! Rien de commun entre vous et ces peintres qui prétendent dessiner comme les enfants, mais dont les œuvres apparaissent fausses, fabriquées, dénuées de toute spontanéité, un amas de tics et de trucs.

Un jour, sachant que je vous connaissais, Roger Pigaut me confia une mission : obtenir un dessin de vous. Il servirait de gros lot dans une loterie au bénéfice de l'Organisation de la paix du Spectacle. Je me présentai donc à la grille de votre propriété de Notre-Dame-de-Vie, qu'il était très difficile de franchir sans le « Sésame ouvre-toi » que seuls vos amis connaissaient, ce petit secret qui vous protégeait mieux qu'un cerbère des importuns et des paparazzi. Après avoir sonné, je donnai mon nom, et votre fidèle Hassan vint ouvrir le portail. Je me suis retrouvé face à vous pour formuler ma requête. Quand vous avez su de quoi il s'agissait, vous vous êtes montré fort troublé, vous demandant, perplexe, que dessiner pour cette commande insolite. Puis vous avez fini par me lancer : « Je ne peux tout de même pas dessiner un masque de théâtre avec la colombe de la paix s'envolant de sa gueule ouverte, car le théâtre est un mensonge. » « Oui, mais le théâtre est aussi un art », ai-je répondu. Cela vous a rassuré, et vous m'avez prié, pendant que vous dessiniez, de me promener au rez-de-chaussée de votre maison, où des œuvres de Braque, de Cézanne, de Gauguin, de Matisse voisinaient avec celles de votre ami Pignon. Je dois aujourd'hui vous avouer, cher Pablo, que je n'ai pas respecté votre requête. Plutôt que de me promener parmi ces chefs-d'œuvre, j'ai préféré vous observer du coin de l'œil, vous espionner en train de dessiner «la chose». Quel spectacle! L'artiste créant est parfois plus beau et plus impressionnant que l'œuvre elle-même. La première esquisse ne vous convenait pas, vous l'avez déchirée immédiatement. Même traitement pour la deuxième tentative, la troisième, la quatrième et la cinquième, qui ont toutes fini au panier. Ce n'est qu'au sixième essai que votre main a couru plus librement sur la feuille, trouvant son chemin avec aisance en dansant sur le papier. Après quelques minutes, vous m'avez appelé pour contempler l'œuvre achevée. «Est-ce convenable?» m'avez-vous demandé humblement. «Oui», vous ai-je répondu en regardant ce dessin au feutre gras. J'ai quitté Notre-Dame-de-Vie avec un trésor dans les mains, que j'ai mis dans un carton pour le faire parvenir à Roger, rue Chardon-Lagache à Paris : mission accomplie!

Pas tout à fait, malheureusement... Pauvre Pablo, votre merveilleux dessin, que vous aviez mis tant de soin et de scrupuleuse affection à réaliser pour moi, a disparu, victime sans doute d'un cupide envieux. Roger, mon seul ami de l'époque, était insoupçonnable, mais j'ai été, je l'avoue, un bien piètre enquêteur. Au lieu de débarquer à l'improviste chez les quelques suspects possibles pour voir si le dessin volé n'était pas accroché à l'un de leurs murs, je leur ai... téléphoné! Autant dire qu'ils ont tous nié, et que le coupable s'est empressé de cacher son butin en lieu sûr. Imbécile que j'étais – que je suis sans doute encore. Mais je suis persuadé que le fameux dessin resurgira un jour, et que l'on verra apparaître à l'Hôtel Drouot ou à Sotheby's un «dessin inédit de Pablo Picasso, représentant une colombe s'envolant de la bouche ouverte d'un masque de théâtre»... Je pourrai alors reprendre mon enquête et démasquer le voleur.

Vous avez peiné, cher Pablo, sur ce dessin, mais vous saviez aussi travailler très vite. Henri-Georges Clouzot vous a consacré un film étonnant. Vous peigniez sur une vitre opaque, tandis que Clouzot, qui ne connaissait rien à la peinture, se contentait de surveiller sur sa caméra le métrage de pellicule restant. La pellicule avançait, et votre main glissait sur la vitre. Clouzot vous annonçait régulièrement le temps qu'il vous restait pour achever votre «toile sur verre». «Encore trois minutes, Pablo», et vous continuiez de peindre. «Encore deux minutes», et vous peigniez toujours, en prenant votre temps. «Encore une minute», annonçait Clouzot, inquiet, mais vous sembliez ne toujours pas entendre. «Voilà, c'est terminé», lâchait enfin le réalisateur, alors que le ruban de pellicule claquait en sortant de la caméra. Alors, vous vous tourniez vers le cinéaste, les pinceaux coincés entre vos doigts composant un éventail coloré, et lui disiez en souriant: «Moi aussi, j'ai terminé.» Et votre «toile sur verre» était magnifique.

Après vous avoir rencontré, Clouzot s'est mis à peindre, lui aussi. Hélas, il était plus habile de l'obturateur que du pinceau. Clouzot peignait des... bidets, rien que des bidets, toujours des bidets! Au printemps comme en été, il attendait que la terrasse de la Colombe d'Or fût couverte de convives pour aller quérir l'un de ses fameux bidets, à peine sec. Il pénétrait alors dans la salle à manger d'hiver en brandissant son dernier-né, afin de le comparer aux chefs-d'œuvre – véritables, ceux-là – accrochés dans ce lieu privilégié, parfait petit musée de l'art contemporain. Puis il débouchait sur la terrasse en clamant à la cantonade : « Ça tient ! Mon nouveau bidet tient ! » Puis il repartait peindre un nouveau bidet. Cher Pablo, vous avez eu votre période bleue, votre période rose, et bien d'autres encore. Clouzot, lui, n'en a connu qu'une : la période bidet !

Vous étiez si exigeant, Pablo, avec vous-même : à la recherche de la perfection, jamais satisfait du résultat obtenu. Vous aviez décoré une petite chapelle à Vallauris, qu'un soi-disant peintre, sans doute jaloux, s'était permis de souiller en ajoutant, en haut à droite de votre œuvre, un minable graffiti. Quand vous l'avez appris, vous êtes allé, avec votre épouse Jacqueline, constater les dégâts sur place. Dès le lendemain, vous êtes revenu avec l'attirail du parfait débarbouilleur : seau, eau de javel, brosses et éponges en nombre suffisant. Un pareil équipement ne passait pas inaperçu, et tout le village a su que Pablo et Jacqueline Picasso venaient de prendre d'assaut la chapelle. Nettoyage et récurage sont les fondements d'un art qui se respecte ; vous avez prouvé, par cette expédition punitive, que l'artiste-peintre et le peintre en bâtiment sont plus proches qu'on ne croit ! En un tour de main, le sacrilège fut réparé, et la chapelle retrouva sa beauté originelle. Et c'est ainsi que depuis, à Vallauris, on vous appelle « les épongeurs »...

Votre génie, cher Pablo, a donné naissance à bien des légendes. L'une des plus belles me fut rapportée par Jean-Paul van der Bosche. La voici. Les meilleurs peintres vivants sont tous conviés à un rendez-vous solennel et planétaire, pour prouver leur maîtrise technique et leur virtuosité. Une seule épreuve les départagera : celui qui réussira à tracer un rond parfait sera proclamé le plus grand. Quant au jury, descendu tout droit du paradis, il est présidé par Léonard de Vinci, les poches bourrées de croquis scientifiques couverts de cercles, le compas en main pour arbitrer l'épreuve. Michel-Ange et Rembrandt sont ses assesseurs. L'épreuve commence. Les artistes se succèdent, mais aucun rond n'est irréprochable. Miró trace un joli cercle, mais ne peut s'empêcher d'y ajouter des traits et des taches de couleur. Dalí a un coup de main solide et régulier, mais son rond ramollit, il dégouline en un ovale étrange auquel il ne manque qu'une aiguille et une trotteuse... Vient alors votre tour, Pablo. L'œil goguenard, vous dévisagez vos rivaux, prenez le crayon et la grande feuille, et dessinez... un point. Un seul point, minuscule, un point à peine visible qui ressemble à un défaut du papier. « Voilà le rond parfait », proclamez-vous à l'assemblée ébahie. Le jury se penche, examine. Léonard de Vinci, qui parvient à peine à piquer, sur ce point infime, la pointe de son compas, sort une loupe de son invention et manque mettre le feu au papier. Vous êtes proclamé vainqueur !

Cette histoire m'a toujours amusé. Vous y êtes, Pablo, si bien résumé, avec votre innocence, votre humour facétieux et votre génie.

Cher Pablo, il vous était impossible de payer par chèque : jamais encaissés, ceux-ci finissaient toujours sous cadre ! Votre paraphe avait plus de valeur que le montant inscrit, et transformait ce vulgaire rectangle de papier en une œuvre d'art. Rançon de la gloire, sans nul doute, mais profonde hérésie. Hérétiques, ces admirateurs qui appréciaient plus votre célébrité que votre art ; hérétique, cet ami d'alors qui vous avait acheté un pastel sur les conseils de son homme d'affaires : avare au dernier degré, il l'enferma dans un coffre, à la banque. Quelle horreur ! Une œuvre du grand Pablo Picasso emprisonnée, loin des regards, enterrée avec ses couleurs, alors qu'il faudrait montrer vos toiles à la terre entière, les exposer en plein soleil pour qu'elles inondent le monde de leur beauté ! Hérétique encore, ce flâneur qui nous suivait sur la plage de la Napoule. Vous aviez coupé une petite branche et, tandis que nous avancions en conversant au bord de l'eau, vous traciez de votre baguette improvisée des dessins sur le sable mouillé. L'inconnu, au lieu de s'émerveiller, paraissait malheureux : comme dans la chanson, les vagues effaçaient derrière nous les traces de nos pas... et votre éphémère fresque. C'étaient des millions de francs engloutis par les flots. Notre suiveur semblait atterré par un tel gaspillage... Mais cette voleuse de Méditerranée, j'en suis sûr, garde quelque part dans ses profondeurs les souples arabesques que vous traciez sur la grève.

Cette plage de la Napoule restera à jamais gravée dans mon cœur et dans ma mémoire, car j'avais l'honneur d'y partager vos baignades. Or, vous nagiez aussi mal que moi. Dès que nous perdions pied, nous nous arrêtions, à quelques brasses de la plage, et restions là, de l'eau jusqu'aux épaules, délicatement bercés par les vaguelettes, parlant de tout et de rien. La brise ou le mistral pouvaient bien emporter au loin nos propos, je n'oublierai jamais ces instants de bonheur et de douceur de vivre, en votre compagnie. Nous parlions de tout, sauf d'art. Vous me tutoyiez, cher Pablo, mais il m'était impossible de vous rendre la pareille, malgré vos demandes insistantes. L'âge n'y était pour rien, car vous étiez aussi jeune d'esprit, sinon plus, que la plupart des gens de ma génération ; et ce n'était pas non plus timidité ou froideur de ma part, au contraire. Je vous vouvoyais comme on peut vouvoyer ses parents, parce que c'est parfois la meilleure manière d'ajouter l'affection au respect.

Georges Braque vous tutoyait, bien sûr, comme votre ami Pignon, et Titine, la merveilleuse Titine de la Colombe d'Or. Vous déjeuniez souvent dans ce paradis provençal de Saint-Paul-de-Vence, un peu gêné par la grande et belle photo de vous qui trônait dans le bar à la place d'honneur. À côté de votre portrait, celui de Georges Braque, de Paul Roux, feu le mari de Titine, et un superbe buste de la grand-mère de Francis Roux. Dans la cour de la Colombe d'Or, majestueuse, resplendissait une céramique de Fernand Léger, incrustée dans un grand mur. Quant à la vaste salle à manger, elle était une caverne d'Ali Baba. Une fleur que vous aviez peinte sur bois voisinait avec des toiles de Hans Hartung ou de Pascin, tandis qu'un bronze de Pierre Bonnard dialoguait avec un bronze de Juan Miró.

À la Colombe d'Or, à la Napoule, comme dans votre demeure de Super-Cannes ou celle de Notre-Dame-de-Vie, je vous disais donc «vous», cher

204

Pablo, comme aujourd'hui dans cette lettre – et jamais « tu ».

Vous nous manquez, cher Pablo. Vous manquez aux artistes, vous manquez à l'art, vous manquez à tous vos amis comme vous avez tant manqué à Jacqueline, après votre mort. Désormais, vous reposez côte à côte dans le parc de votre maison de Vauvenargues, que je n'ai pas connue, et vous êtes pareillement indissociables dans mon cœur.

Les artistes s'interrogent et se disputent pour savoir laquelle de vos peintures ou sculptures est « le chef-d'œuvre de Pablo Picasso ». Les plus belles toiles que vous ayez peintes sont, à mon goût, les portraits de Jacqueline – j'en connais une dizaine, tous plus beaux les uns que les autres. Et si Jacqueline vous a inspiré ces chefs-d'œuvre, c'est parce qu'elle fut aussi la plus grande réussite de votre vie d'homme. Vous, le coureur de jupons, n'avez jamais aimé une femme autant qu'elle, et vous ne l'avez jamais trompée, pas plus qu'elle ne vous trompa, vous, le seul homme de sa drôle de vie.

Jacqueline était dans votre existence comme dans votre Porsche, à la place du conducteur. Elle pilotait très souvent votre voiture – et très mal –, mais insistait toujours pour prendre le volant, accompagnée de votre médecin de famille, le docteur Charbit. Sur les routes tortueuses de l'arrière-pays provençal, je la suivais tant bien que mal, terrorisé par ses incroyables slaloms. Nous en riions alors, mais il faut reconnaître que Jacqueline était plus habile et moins dangereuse, aux commandes de votre vie qu'au volant de votre Porsche ! À aucun moment elle n'entravait votre liberté d'artiste ou d'être humain, elle ne vous tenait jamais « en laisse ». Au contraire, elle arrangeait le monde autour de vous pour qu'il vous fût le plus agréable possible, et qu'aucun souci ne vînt troubler votre inspiration. Elle n'était pas une épouse possessive, mais un ange gardien. Nous prenions souvent le frais en dégustant des jus de fruits, dans un petit salon, au milieu du couloir qui conduisait à votre atelier. Dans le soir qui venait, celui-ci se remplissait d'ombres étranges, qui noyaient lentement dans le gris les couleurs de vos œuvres en cours, et faisaient ressembler votre chevalet à un épouvantail désarticulé. Nous passions des minutes sereines dans cette petite pièce sans aucune œuvre de vous, excepté un très grand dessin au feutre noir. Votre modestie admettait à contrecœur qu'il figurât en si bonne place, mais sa présence procurait tant de plaisir à Jacqueline, qui l'adorait... Faire plaisir à Jacqueline était une joie pour vous.

À la fin de votre vie, vous avez eu l'un des plus beaux actes d'amour que l'on puisse témoigner à une femme. Les dernières toiles que vous avez peintes – une dizaine tout au plus –, vous les avez signées en trempant votre pinceau dans le vernis à ongles de votre tendre Jacqueline. Ce paraphe rouge sang, c'était un peu comme si Jacqueline était soudain associée à toute votre œuvre, elle, la muse bienveillante et amoureuse. Jacqueline s'est si bien occupée de vous, puis a tellement pris soin de votre mémoire, que je ne saurai m'empêcher de lui écrire une lettre, à elle aussi. Je vous la confie. Où que vous soyez, cher Pablo, vous lui transmettrez ces quelques lignes, ou les lui lirez.

*

Chère Jacqueline,

C'est à toi que j'écris, toi l'épouse exemplaire, toi le meilleur de Pablo, toi la gardienne de ses jours puis de sa mémoire.

Pablo est mort emporté par une maladie pulmonaire – il se promenait en short, il est vrai, été comme hiver. Peu après son décès, tu as fait une donation à l'État. Grâce à ta générosité, une centaine de toiles rejoignait ainsi le patrimoine national. Jack Lang, le ministre de la Culture, est venu plus tard t'en remercier. Il était accompagné de quelques amis, ce dont tu fus offusquée (tu aurais préféré qu'il vînt seul). Tu ignorais, chère Jacqueline, qu'un ministre ne se déplace jamais seul, mais toujours entouré d'une escouade de technocrates et d'une poignée de flagorneurs.

Tu souhaitais que le lieu choisi pour accueillir définitivement l'essentiel de l'œuvre de Pablo fût à la mesure de l'artiste. En attendant, les toiles avaient été envoyées à Paris, dans un lieu connu de toi seule. Devant les lenteurs de l'État, tu menaçais chaque année, chaque mois, de les reprendre. Le havre que tu souhaitais pour l'œuvre de Pablo, l'Hôtel Salé, était en très mauvais état, et il fallut treize ans pour le remettre à neuf – de prétendus travaux qui cachaient mal la gêne de présenter à tant de frais l'art de Picasso au public... Ces treize années furent pour toi, chère Jacqueline, une éternité. Treize années de patience, treize années d'angoisse et de dépression qui te firent côtoyer la folie. Vivre sans Pablo était donc si terrible ?

Noëlle et moi te rendions visite presque chaque jour à Notre-Dame-de-Vie. Pourtant, il nous était pénible de te voir en proie à ce désespoir. Un immense panier plat trônait dans le salon, empli de boîtes de médicaments, sans aucun doute des anti-dépresseurs. Le pauvre docteur Charbit, lui, ne savait plus que faire pour te soulager. Il était évident, chère Jacqueline, que notre présence te devenait chaque jour plus indispensable, et nous surmontions notre peine pour passer le plus souvent possible quelques instants en ta compagnie. L'été, tu nous offrais des jus de fruits sur la terrasse, et nous admirions le paysage, ce magnifique paysage que Pablo avait peint si souvent.

Un jour, tu nous as montré la chambre si long-temps partagée avec Pablo. Elle abritait un très grand lit, où tu dormais toujours à *ta* place, comme si Pablo était encore étendu à ton côté. Tu préten-dais d'ailleurs dormir avec lui, et tu montrais pour preuve une œuvre du maître que tu avais installée à la tête du lit, à l'envers. «J'en change souvent», nous as-tu dit ce jour-là. Peut-être même ces toiles, que tu couchais pour la nuit, fantômes de Pablo, étaient-elles parfois blanches, sans dessin ni peinture. Comment refuser de croire, alors, que la douleur te rongeait ?

Enfin, le grand jour est arrivé. Après treize ans de travaux, l'Hôtel Salé fut fin prêt. Noëlle et moi l'avons inauguré à tes côtés. Photographes, radios, journalistes de tous bords se bousculaient pour l'événement : Picasso avait un temple à Paris. L'inauguration achevée, tu as regagné sans tarder ton hôtel – le Ritz ou le Claridge –, puis tu as pris dès le lendemain l'avion pour Nice, où Hassan t'attendait avec la Porsche. Arrivée à Notre-Dame-de-Vie, tu as filé tout droit dans le couloir, ignorant

le petit salon au dessin, celui des bavardages cré-
pusculaires des années heureuses ; tu es entrée
dans l'atelier de sculpture de Pablo, que seuls les
souvenirs habitaient encore ; tu t'es emparée du
revolver 7,65 et tu t'es tiré une balle dans la tempe.
Comme une sculpture tragique, tu t'es affaissée là,
dans cet atelier où Pablo avait donné une âme à
tant de formes inanimées. Ce que tu avais à faire
pour ton Pablo était accompli, et il te pressait de le
rejoindre à ton tour. C'était désormais chose faite ;
et Notre-Dame-de-Vie est devenue soudain Notre-
Dame-de-Mort. Aujourd'hui, tu reposes au côté de
Pablo dans votre parc de Vauvenargues. La paix
règne enfin dans ton cœur.

Cher Pablo, chère Jacqueline, je pense souvent à
vous, aux heures de bonheur partagées sous la
lumière de la Méditerranée. J'ai hâte, parfois, de
vous revoir, de me retrouver main dans la main
avec vous, Pablo, avec toi, Jacqueline, en compagnie de Noëlle. Pablo, vous peindrez comme vous
peigniez autrefois, Jacqueline veillera sur vous, et
Noëlle et moi vous regarderons, heureux.

                                    Serge Reggiani

À Noëlle Adam-Chaplin

Vingt-cinq ans !

Vingt-cinq ans que nous nous désaltérons à la même coupe, vingt-cinq ans d'amour qui ont glissé entre mes doigts comme tes cheveux quand j'y passe la main. Ma chérie, mon seul grand amour véritable, ma compagne de chaque seconde, je voudrais essayer de te parler de nous, de te parler de «toi et moi». «Toi et Moi», c'est le nom d'une bague, la bague que nous ne nous sommes jamais passée au doigt. Car notre amour est fait de liberté et de tendresse. Tu ne m'appartiens pas, tu n'es pas «ma» femme, et chaque jour je m'efforce de te mériter comme Chantecler mérite par son chant le lever du soleil. Chaque instant avec toi est un trésor, et te perdre est en ce monde la seule chose vraiment grave qui pourrait m'arriver.

Ma fille, ma femme,
Ma peau, mon âme,
Je serais qui, je serais quoi
Sans toi ?
Ma fleur, mon arbre,
Mon sang, mon marbre,
La mort serait d'être amputé de toi.

211

Un soir, il y a fort longtemps, Jean Cocteau et Jean Marais m'ont emmené voir *le Rendez-vous manqué*, dont tu étais la ballerine étoile. Je suis resté, ce soir-là, cloué à mon fauteuil, ému par la grâce de ton corps qui dansait, par la volupté de tes arabesques, par cette beauté qui brillait sur scène. Le public applaudissait une danseuse, et moi je vénérais déjà une déesse. Marais et Cocteau ont voulu m'entraîner à leur suite dans les loges pour te féliciter, mais je n'ai pas osé. Je n'en ai pas eu le courage : que t'aurais-je dit après pareille émotion ? C'est ainsi que déjà je t'aimais. Tu ne savais même pas que j'existais...

Après cette dérobade, je m'étais juré de te revoir, mais tu as très vite été engagée pour aller danser aux États-Unis. Ton périple américain commença par une étape hollywoodienne, mais ce monde-là te fut insupportable, et tu quittas la côte ouest pour gagner New York, avant une grande tournée dans les principales villes du pays. De retour à New York, tu dansas et dansas encore, puis tu menas le Ed Sullivan Show et le Keith Brussel Show, spectacles phares de la télévision. Chaque semaine, tu étais le pivot de l'émission ; la vedette était toujours différente. Un jour, tu vis débarquer une jeune femme un peu débraillée, pas très jolie et arborant des cheveux gras. Mais dès qu'elle se mit à chanter, sa voix fit oublier le reste, et tu prévins le soir même ton mari, Sydney Chaplin : « Cette fille va faire un malheur. » Trois semaines après l'émission, l'agent de Sydney Chaplin engagea cette inconnue pour le rôle titre de *Funny Girl* : elle s'appelait Barbra Streisand...

Il faut que je te raconte ma propre expérience de la danse, bien pâle à côté de la tienne. Pourtant,

212

j'y mis à l'époque – c'était peu de temps après la guerre – tout mon cœur. Au Théâtre des Mathurins, je fis répéter plus d'un mois Roland Petit et Janine Charrat autour d'un projet insolite : danser sur un texte de Théodore de Banville, *le Saut du tremplin*, en ne suivant que le rythme des vers, sans le secours d'aucune musique. Au bout de quelques semaines, ils me congédièrent et me remplacèrent par Serge Lifar, chorégraphe classique, et plus connu. Il imposa de la musique. Et le ballet fut un bide.

Puisque personne ne voulait me suivre dans mes expériences chorégraphiques, je décidai de les mener à bien tout seul. Pour une représentation unique, j'ai répété pendant un mois *l'Après-midi d'un faune*, en dansant et en récitant le texte de Mallarmé dans un même mouvement : « Ces nymphes je les veux perpétuées... » Je n'utilisais pas du tout la musique de Debussy, et pourtant je répétais sous l'œil circonspect de son exécuteur testamentaire, le docteur Henri Mondor. J'avais fondé mon travail sur les estampes égyptiennes, en cultivant les attitudes de profil, bras repliés, comme sur les hiéroglyphes. J'avais appris les rudiments de la danse au Conservatoire des Arts cinématographiques, et j'avais de beaux restes.

L'expérience fut physiquement très éprouvante, car il me fallait réciter le texte tout en enchaînant les figures. Je réalisais ainsi deux doubles entrechats de suite, en malmenant mes pauvres mollets ! Malingres, ceux-ci avaient triste allure engoncés dans leurs bas. Le coureur cycliste René Vietto, qui avait le même problème, se faisait fabriquer des vélos sur mesure. Eh bien ! le danseur Reggiani se fit confectionner des collants sur mesure, bourrelés de fils de laine pour figurer des muscles qui, loin d'être inexistants, étaient trop peu saillants. La représentation fut un succès. Je fus ravi de mon association éphémère avec Terpsichore et de ma contribution à la chorégraphie d'avant-garde.

Tu es restée quinze ans aux États-Unis. Quinze années pendant lesquelles je t'ai attendue, sans cesser de penser à toi, et sans me décider pourtant à franchir l'Atlantique. Il me semblait que je devais laisser couler la vie, que le destin se chargerait bien, un jour, de faire coïncider nos routes à nouveau, et qu'il ne fallait pas précipiter cet instant. Il se manifesta dans un troquet répondant au nom de « Bistraugo ». Tu étais là, assise, regardant vaguement, avec une moue d'ennui, ton mari Sydney Chaplin taper le carton. Je me suis approché, décidé à te faire une cour discrète. Si discrète que personne ne s'en aperçut. Même pas toi. La chance voulut que Syd m'invitât à passer peu après une soirée chez vous, dans votre superbe demeure de Ville-d'Avray. Je suis venu ventre à terre à cette soirée ; rien au monde ne me l'aurait fait manquer. Ce soir-là, j'ai changé de tactique, te faisant une cour éhontée et sans retenue, aux yeux de tous les invités... et de ton mari. Tu m'as raconté ensuite que ça l'avait rendu furieux. Tant pis, je n'avais rien à perdre.

Et j'ai tout gagné. Après cette soirée, j'ai attendu un coup de fil. Et un jour le téléphone a sonné... Nous nous sommes revus de bar en bar, puis d'hôtel en hôtel, comme des amants en fuite, comme des voleurs d'instants, des voleurs d'amour, jusqu'au jour où Sydney dut repartir pour les États-Unis.

214

Je vins alors à Ville-d'Avray. Te souviens-tu ? Nous fîmes l'amour dans le salon, puis dans la chambre, nous fîmes l'amour avec la plus grande fougue du monde, comme à quinze ans.

Quand, au matin suivant, je sortis pour retourner chez moi, je découvris que les quatre pneus de ma voiture étaient crevés. Jamais je n'ai trouvé le coupable. Ce ne pouvait pas être ton mari, puisqu'il était à six mille kilomètres de là. À moins que... Tu me prêtas ta petite Fiat blanche, et je pus partir dignement. Il y a cent ans, les amants surpris en flagrant délit s'enfuyaient sans pantalon. Aujourd'hui, ils s'en vont sans voiture.

Je garde un souvenir intact du havre de volupté que fut cette maison de Ville-d'Avray. Malheureusement, elle fut saisie par huissier du fait de factures impayées. J'ai bien tâché de racheter quelques-uns des meubles qui avaient été les témoins de nos amours, mais ils étaient hors de portée de ma bourse – même les copies d'ancien. Adieu souvenirs...

La situation devenant impossible, nous décidâmes de vivre ensemble. Débuta un étrange ballet d'un appartement à l'autre. Chaque fois que nous commencions à nous sentir chez nous, j'étais obligé de vendre l'appartement pour régler mes impôts. Au logement de la rue de Hesse – trop petit –, succéda celui de la rue de Savoie – mais il fallait parcourir des kilomètres pour passer de la cuisine au salon –, celui de la rue de Jarente – sans doute le plus beau –, celui de la rue Raynouard – le plus cher –, et enfin celui du boulevard Suchet.

Mettant à profit ce nomadisme éprouvant, je relus *l'Existentialisme* de Sartre, dévorai tout Panaït

215

Istrati, redécouvris Gide. Et je sombrai également dans l'alcoolisme. Un jour, ivre, j'ai chuté dans l'escalier : poignet et épaule gauche cassés, hospitalisation. L'alcool m'a mené de clinique en clinique, de cure de désintoxication en traitement psychiatrique. Ton amour fut le fil d'Ariane qui me permit de trouver la sortie de ce labyrinthe infernal. Ce n'est plus aujourd'hui qu'un mauvais souvenir – et une vigilance nécessaire de chaque instant. Je vis, au sens propre, d'amour et d'eau fraîche... Nous écoutons le temps passer en battant la mesure de concert.

> *On a les âmes en harmonie,*
> *On s'aime.*
> *On s'aime, on s'aide à bien porter*
> *Les rides qui sont la portée*
> *De la chanson du temps qui passe...*
>
> *On s'aime comme deux naufragés*
> *Qui disent : « heureux de voyager »*
> *Avant de laisser faire la mer,*
> *La mort.*
>
> *C'est notre seule façon d'exister,*
> *Et jusqu'à nous survivre même.*
> *Tu verras, nous irons sculpter*
> *Sur les murs de l'éternité,*
> *On s'aime...*

Je t'aime et te désire comme jamais je n'ai aimé ni désiré qui que ce soit en ce monde. J'ai l'impression de chanter moins bien quand tu n'es pas à mon côté, en coulisse ; de peindre de travers si ton regard ne guide pas mon pinceau ; d'écrire n'importe quoi si tu n'es pas là.

216

Voilà ce que je peux te dire dans une lettre. Le reste, l'essentiel, je veux te le dire de vive voix, que cela soit notre secret évanescent. Un secret chaque jour différent. Caresser ta joue, laisser glisser ma main sur tes cheveux, effleurer ton épaule sont des cadeaux du ciel. Mon seul et unique amour, ma demeure, mon refuge, mon nuage que j'aime.

Sergio

À Quin-Quin le chat

Cher Quin-Quin,

Saloperie de Quin-Quin le chat qui ne cesse d'attaquer Noëlle pour un oui pour un non, Quin-Quin jaloux, Quin-Quin possessif, Quin-Quin glouton mais Quin-Quin propre, sauf quand Quin-Quin se laisse aller dans la baignoire de Noëlle ! Quin-Quin qui détale quand je pique une colère, Quin-Quin qui fuit à toutes pattes quand je lui cours après, Quin-Quin trouillard, Quin-Quin pétochard, Quin-Quin malin qui trouve toujours une cachette pour mettre son museau à l'abri. Quin-Quin chat par-dessus tout, qui sait se faire aimer et câliner, qui sait griffer et se faire pardonner, qui sait voler et se faire gâter.

De sa fourrure blonde et brune
Sort un parfum si doux qu'un soir
Je fus embaumé pour l'avoir
Respiré une fois rien qu'une...

Chat te plaît ? C'est du Baudelaire. Il avait bien raison : tu as dû nous ensorceler. Sinon, comment supporterions-nous toutes tes bêtises ? Chat, ch'est chûr ! Évidemment, sa poésie te laisse froid. Tu es bien plus sensible à la beauté d'une croquette ou à la poésie d'une friandise qu'à celle de l'alexandrin.

Tu es le dernier d'une portée de huit, et tu as bien pris ton temps pour venir au monde avec ton œil coquin et ta queue nouée. Je vais te dire : tu es un chat-chien, tellement tu es jaloux, jaloux à mordre les chevilles de Noëlle quand elle est plus gentille avec moi qu'avec toi. Un comble !

Et voilà que tu joues à chat perché sur les meubles et sur tes maîtres ! Décidément, tu ne respectes rien. Si tu attaques encore Noëlle toutes griffes dehors, je t'envoie à la S.P.A., ou chez Brigitte Bardot ! Chat te fera les pattes !

> *Viens, mon beau chat, sur mon cœur*
> *[amoureux ;*
> *Retiens les griffes de ta patte,*
> *Et laisse-moi plonger dans tes beaux yeux*
> *Mêlés de métal et d'agate.*

Encore Baudelaire... un sacré amoureux des chats, celui-là. Noëlle aurait bien pu l'écrire pour toi, cette strophe. Et toi, tu pourrais te montrer plus gentil avec elle.

Ce nom curieux de Quin-Quin, d'où peut-il bien venir ? Après enquête sur l'onomastique féline, deux pistes généalogiques permettent de juger le cas de Monsieur Quin-Quin.

La première affirme que c'est le diminutif d'Arlequin. Cela me plaît bien, à cause de *la Double Inconstance*, dont j'avais interprété une scène à mon entrée au conservatoire ; à cause, aussi, de l'Italie, le pays d'Arlequin et le mien. Et puis cela te va très bien, car tu es facétieux comme tous les Arlequins.

La seconde hypothèse prétend que Quin-Quin vient du titre d'un roman que je souhaitais adapter au cinéma, mais dont l'auteur a vendu les droits aux Américains : *Muerte y a Muerte de Quincas Berro d'Agua*, de Jorge Amado. Quincas, Quin-Quin... Étrange...

Mais tandis que je m'évertue à t'expliquer les origines de ton nom, tu t'endors sur la moquette. Chat alors ! Tu n'en feras jamais d'autres ! Quin-Quin ! Quin-Quin ?

> *Ils prennent en songeant les nobles attitudes*
> *Des grands sphynx allongés au fond des*
> *[solitudes,*
> *Qui semblent s'endormir dans un rêve sans fin.*

Encore Baudelaire ! Décidément, il avait tout compris à ces satanées bêtes adorables. Et moi, j'ai bien compris que tu es le maître de céans, et je me contenterai, pour accompagner ton ronronnement, d'une petite berceuse :

> *Dors mon p'tit Quin-Quin*
> *Papattes en rond et tutti quanti...*

Une charesse pour toi,

Ton « maître » Serge

À Simon

Mon grand,

C'est vrai, je l'avoue, je ne t'ai pas tellement aidé dans la vie. Si j'ai agi ainsi, c'est parce que j'ai senti très vite que tu étais un homme de caractère, capable de se débrouiller seul. Et tu t'es sorti, en effet, tout seul, «comme un grand», de bon nombre de mauvais pas.

Quand nous habitions rue de Savoie et au Redon, tu étais encore enfant, mais déjà s'affirmaient ton caractère et ta passion pour les arts. Je t'ai donc laissé faire, sachant que je ne prenais pas un bien grand risque. Toutes tes aventures se sont bien terminées, parce que tu vas toujours au bout de ce que tu entreprends. Je me demande parfois si l'horrible brûlure qui a tant fait souffrir ton corps et ton esprit n'a pas été le vrai détonateur de ton existence...

Tu as modelé une tête d'homme en terre cuite, une réalisation étonnante, que je garde précieusement. Elle ne me ressemble guère, pas plus qu'à toi, mais en la dévisageant il me semble te voir. Ce visage est ton ambassadeur permanent auprès de ton père...

Tu as produit sans un sou ce film où j'ai été acteur pour toi, dont le titre provisoire était *Soutien de famille* et qui a fini par s'appeler *De force avec d'autres*. Tout au long du tournage, tu étais rongé d'angoisse. C'est là une preuve supplémentaire que tu as une âme d'artiste. Je ne pouvais rien pour toi, il est si difficile de jouer pour l'œil de son fils.

Ton fils Achille sera bientôt parmi nous. Il va naître au printemps comme une fleur de vie, et, tel son ancêtre grec, nous le rendrons invincible. Qu'en pensera la petite Pandora, qui deviendra, du coup, son aînée ? Les artistes, sans nul doute, doivent vivre dangereusement. Pas les enfants. Et pourtant, « Pando » vit dangereusement, courant comme une folle pour se jeter dans tes bras, au risque de se rompre le cou. Pando-J'suis-pas-une-môme, Pando-qui-ouvre-sa-boîte-sans-prévenir, Pando-les-yeux-pointus-comme-ceux-de-Picasso, des yeux qui ne regardent pas mais qui voient.

Achille et Pandora, voilà les plus belles œuvres d'art d'un homme, celles qui lui survivront, sa vraie postérité. Prends soin d'eux, mon Simon.

À toi mon très cher grand,

Serge

À Célia

Ma Célioja,

Que te dire sinon que je t'aime ? D'un père à sa fille, ces simples mots sont tout le courrier du monde, et le reste n'est que littérature.

Il paraît que tu me ressembles ? C'est curieux, car tu es très belle et je suis fort laid, même si je m'arrange avec l'âge, prenant des airs de vieux philosophe blanchi sous le harnois, de sage qui a bien vécu, avec un côté chef indien qui ne me déplaît pas, genre «grand sachem». Peut-être avons-nous en commun ce menton en galoche «pur Reggiani» depuis des générations, et un sacré mauvais caractère qui fait notre force.

Très jeune, ma Célioja, tu as étudié le piano pour devenir, à force de gammes, une artiste. Mais jouer ne te comblait pas, et tu as commencé à composer de petites pièces musicales. Très vite, un seul clavier t'a semblé bien insuffisant pour progresser encore, et tu t'es convertie au synthétiseur à double clavier, auquel il fallut bientôt ajouter un autre synthé. Tant et si bien que, pour accompagner tout cela, tu as pris la tête d'un véritable petit orchestre.

Ta musique a des couleurs romantiques, avec de forts accents jazzy. J'ai eu la joie de chanter sur mon dernier album *le Lit de Madame*, sur une musique de toi, et j'aimerais bien en chanter d'autres un jour. Malheureusement, ne compte pas sur moi pour chanter le jazz !

> *On s'est quittés parents,*
> *On se retrouve amis,*
> *Ce sera mieux qu'avant,*
> *Je n'aurai pas vieilli.*

J'ai chanté ces mots voici bien longtemps pour une autre petite fille qui grandissait. Si nous faisions un disque ensemble, nous serions plus complices encore, et je rajeunirais de vingt ans.

Le chemin que tu as choisi est fort long, mais je suis sûr qu'un jour tu t'épanouiras au soleil de la musique. « De la musique avant toute chose », disait Verlaine. Il faut toujours écouter les conseils des poètes, et pas toujours ceux des parents...

Je t'embrasse « de mon pauvre cœur », comme me l'a écrit Cocteau. Mon pauvre cœur de père qui bat pour ses enfants.

Ton papa Sergio

À Maria

Ma Maria,

Pourquoi « ma » ? Tu n'appartiens à personne, pas même à ceux qui t'aiment. Pourquoi dit-on toujours « ma fille » ou « ma femme » ? Cela m'exaspère, et je ne supporterais pas, si tu te mariais, que « ton » mari t'appelle « ma femme ».

Libre Maria, Mariuschka insaisissable, tu donnes vie aux films des autres. Le montage est un moment décisif dans la vie d'un film, comme la taille est cruciale pour réussir un diamant. Il faut choisir les ultimes coupes, donner au film son rythme. Un mauvais montage peut être fatal à un chef-d'œuvre, et plus d'un film a vécu une nouvelle carrière après avoir été monté une seconde fois.

Tu as aussi tourné un court métrage au Havre. J'espère que tu auras souvent l'occasion de tenir encore la caméra. Curieux... chacun de mes enfants a suivi une des pistes que j'avais explorées : Simon et toi dans le cinéma, Stephan dans la chanson, et Carine... vit avec un peintre ! Après l'amour, l'art est la plus belle chose de cette vie, quel que soit le numéro qu'il porte : toi, tu as choisi le septième. J'espère qu'il te mènera au septième ciel.

Moi, je n'ai jamais eu la patience de réaliser un film. J'ai pourtant adapté quelques romans : deux fois *l'Étranger* de Camus, une fois *Muerte y a Muerte de Quincas Berro d'Agua*, de Jorge Amado.

Ma fille, mon enfant,
Je vois venir le temps
Où tu vas me quitter
Pour changer de saison,
Pour changer de maison,
Pour changer d'habitudes.

J'y pense chaque soir
En guettant du regard
Ton enfance qui joue
À rompre les amarres
Et me laisse le goût
D'un accord de guitare.

Il y a bien longtemps que toutes mes filles ont rompu les amarres, mais elles voguent sur des mers si belles que je ne le regrette pas. Cet accord de guitare qui me reste en souvenir, je le glisse dans mes chansons comme un message dans une bouteille, en espérant que vous le trouverez au milieu de l'océan. Je suis un naufragé de la vieillesse, mais sur une île qui n'est pas déserte : il y a Noëlle qui est tout, Quin-Quin le chat qui est un petit rien bien agréable, et mes enfants qui font parfois escale.

Toi ma benjamine, ma petite dernière adorée, je t'embrasse fortissimo.

Serge

À la peinture

Aussi cher me sois-tu, il m'est impossible d'écrire « mon cher pinceau », car ma peinture est bon marché... Mais je ne suis pas ici pour jouer sur les mots.

L'envie de peindre m'est venue comme ça. Un jour, j'ai acheté des toiles, des tubes de couleur, et je m'y suis mis. Cependant, depuis quelques années déjà, mes yeux ne voyaient plus comme avant. J'aimais m'imprégner d'un paysage, d'un objet, d'un visage, le regarder au point de le penser, et enfin le voir. C'est ainsi, je le sais aujourd'hui, qu'il faut procéder : regarder longuement, jusqu'à la sensation de voir, et se risquer alors à un croquis. L'œil est le premier pinceau, comme si les cils nous avaient été donnés pour peindre en couleurs le monde, changeant de tableau à chaque battement de paupières. Ce n'est pas le peintre qui guide la peinture, mais l'inverse : je suis guidé par mon pinceau, par la sensualité de mon pinceau glissant sur la toile.

Ma première barbouille s'appelait *Conversation*. Elle est accrochée chez moi, derrière la porte d'entrée... Elle représente un damier de couleurs ; au centre, deux silhouettes plongées dans une conversation. J'aime peindre avant tout. Je ne préfère aucune de mes toiles. Toutefois, il en est deux qui me tiennent à cœur, et que personne ne veut acheter. Il s'agit d'une *Vue d'avion* et d'une *Bibliothèque*. J'en ai plusieurs en projet, dont une vue de West Side à New York, toujours d'avion, et l'Hudson avec, dans un coin, le tunnel sous la Manche! Mais je suis certain de ne pas vouloir réaliser d'autoportrait, car tous ceux que j'ai vus, de toutes les époques, m'effraient : on devine, aux yeux du peintre sur la toile, qu'il se regarde dans un miroir, et tous ces visages trahissent un narcissisme. En revanche, je ne désespère pas de réussir une de mes grandes entreprises : réunir par l'art le surréalisme et l'existentialisme. Pour l'instant, j'ai toujours échoué...

Gustaf Bolin et Pierre Lesieur, excellents peintres, m'ont affirmé qu'il ne fallait pas dire « peinture abstraite », mais peinture « non figurative ». Pourtant, après l'une de mes premières expositions, ce même Bolin m'a parlé de mes toiles en les qualifiant d'abstraites ! Était-ce une manière discrète de les disqualifier ? Il avait l'habitude de dire que la peinture commence où s'arrête la barbouille : alors, suis-je un barbouilleur ? Peut-être, mais de toute façon j'aime trop peindre – ou barbouiller – pour m'arrêter. J'éprouve une fascination presque sensuelle lorsque j'étale des couleurs sur une toile. Cela commence par un croquis, puis vient l'instant du dessin, et enfin cette sensation quasi musicale du pinceau sur la toile, qui ne méritera le nom de peinture que si les vibrations indispensables se font sentir. Je peins à l'acrylique : elle sèche plus vite et l'on peut recouvrir ses erreurs. J'aime aussi l'huile qui s'étale doucement et pâlit en s'étirant, comme une peau caressée blanchit sous les frissons.

Je songe à Van Gogh et à sa dure existence, lui qui ne vendit presque aucun tableau de sa vie. Une seule toile quitta son atelier d'Arles, celle qu'il offrit à son frère Théo en échange des couleurs qui lui manquaient. Dans ses lettres à Théo, il ne parle que de sa recherche des couleurs, des mélanges nouveaux, des sensations inédites, avec une passion et une délicatesse insoupçonnables. Un siècle plus tard, on ne peut plus voir un cyprès sans penser à Van Gogh...

J'ai rencontré un jour Antonin Artaud, après la parution de son *Van Gogh, le suicidé de la société*, et j'ai assisté à l'un de ses déjeuners. Il mangeait des frites en tenant devant lui un cahier grand ouvert, sur lequel il écrivait – page de droite – et dessinait – page de gauche. Je regardais admiratif et stupéfait cette étrange scène. Alors Artaud, s'apercevant de ma surprise, m'apostropha : « Vous voulez une frite ? »

À un autre déjeuner à peine plus orthodoxe, j'ai conversé longuement avec Georges Braque. Henri-Georges Clouzot avait organisé à la Colombe d'Or, à Saint-Paul-de-Vence, un grand repas en l'honneur du maître. Sans doute notre hôte était-il déjà malade, car il ne put assister au déjeuner, et je fus placé à côté de Braque. Il m'avoua, avec une grande satisfaction, avoir loupé bien des toiles. Comme je m'étonnais de ce paradoxe, il me répondit en souriant : « Il arrive parfois qu'un tableau soit raté, mais bien raté... » J'ai pu vérifier, des années plus tard, l'exactitude de ce propos. Une de mes toiles m'a tant déplu que je voulais la brûler. Plus simplement, je l'ai retournée contre le mur pour terminer deux autres tableaux en cours. Puis je me suis décidé à la retourner : c'était la meilleure des trois, sans aucun doute. En peinture, les retouches s'appellent des repentirs. C'est en effet un acte très grave...

En attendant le dessert, j'ai aussi rapporté à Braque le mot charmant de Titine, patronne des lieux, le jour où Clouzot, alors en pleine crise mystique, était sorti de la Colombe d'Or avec un missel de grande taille à la main. Désignant le bouquin, elle avait lancé : « Alors, Monsieur Clouzot ? Il est fini, le scénario ? »

Braque peignait des objets déformés, un billard par exemple. Il utilisait pour ce faire la perspective orientale. Chez nous, depuis la Renaissance, la perspective présente une base large et un arrière-plan étroit, tandis que les Asiatiques ont adopté des proportions inverses : plus les choses sont éloignées, plus elles sont importantes. Cela signifie simplement que les Orientaux voient plus loin que les Occidentaux. La perspective Renaissance est faite pour des gens qui ne voient pas plus loin que le bout de leur nez. Je me refuse souvent à toute perspective. Dans mon tableau *le Joueur de kaïdo*, tout est à plat. Le rond du kaïdo – un grand tambour japonais – devrait, selon la perspective Renaissance, être ovale, mais je l'ai dessiné parfaitement rond, en à-plat. Les Asiatiques disent qu'en musique, il n'y a pas de bon son sans bon geste, et c'est pourquoi j'ai représenté les vibrations du joueur de kaïdo en démultipliant le bras qui vient frapper le tambour. Même en peinture, il n'y a pas de bonne couleur sans bon geste.

232

Dans les années 50, j'ai tourné un film à Tahiti, avec Martine Carol et quelques autochtones. Nous sommes restés trois mois dans cette île d'indolence et de plaisir, où l'amour se consomme comme lait de coco. Il y eut Anne-Marie, Huguette et quelques autres. L'une traversait le lagon à la nage pour venir se glisser tous les matins, trempée, dans mon lit, et repartir après l'amour en disant : « À la prochaine. » C'était même devenu son surnom. Tahiti abrite le cimetière de Faaa, le seul cimetière gai que je connaisse, à quatre kilomètres de Papeete. Eh bien ! les Tahitiens refusèrent d'y enterrer Gauguin, qui dut être inhumé aux Marquises. Peintres maudits...

Il m'arrive parfois de me réveiller au milieu de la nuit et de me mettre à mon chevalet. La peinture est devenue ma compagne des vieux jours, mon péché de vieillesse, et c'est la vie que je vois glisser au bout de mon pinceau, la vie dont je choisis désormais la couleur et le vernis. Peut-être un jour organiserai-je une exposition de mes toiles baptisée *Dernières peintures avant la nuit,* ou bien, puisque j'aime peindre à la lumière artificielle, *Dernières peintures avant l'aube...*

Serge Reggiani

Voilà soixante-treize ans bientôt que je te connais, drôle de vie, et il me semble que je dois encore te découvrir. Je ne t'ai pas encore rencontrée, chienne de mort, mais il me semble que je te sais par cœur...

> *Il faut vivre, l'azur au-dessus comme un glaive*
> *Prêt à trancher le fil qui nous retient debout,*
> *Il faut vivre partout, dans la boue et le rêve,*
> *En aimant à la fois et le rêve et la boue.*

Mon parolier, Claude Lemesle, a écrit ces mots pour l'album de mes soixante-dix ans. Il est également l'auteur de :

> *La vie est douce, oui, bien sûr,*
> *Mais qu'est-ce que les journées sont dures...*

Elles le sont beaucoup moins pour moi depuis que je les partage avec Noëlle, et qu'elles sont synonymes de bonheur. Je t'aime, la vie, comme le battement d'ailes d'un grand oiseau.

Toi, la mort, tu m'as laissé apercevoir le bout de ta faux. Je revenais de Granville, où se tenait une exposition de mes toiles. L'expédition avait été éprouvante : trois heures et demie de train à l'aller, deux déjeuners, deux dîners, et une épouvantable cohue lors du vernissage. La foule se pressait, compacte ; il était hors de question d'apercevoir mes toiles. Véronique et Valérie, mes marraines en peinture, me protégeaient du mieux qu'elles pouvaient, quand soudain un fou, s'accrochant à mon bras en le serrant très fort, m'a débité un tas d'incongruités, en proie à une épouvantable émotion. Cela dura un bon quart d'heure – et un quart d'heure avec un fou, c'est long ! – avant qu'il ne préfère aller s'agripper au bar. Était-il ton premier messager ?

Avant de reprendre le train, j'ai eu l'honneur d'un ultime déjeuner. La cuisine normande n'a pas volé sa réputation ; je me rappelle une omelette aux cèpes... dont je ne vous dirai pas plus ! En face de moi se tenait un vieux monsieur très digne, peintre lui aussi, spécialiste de nus. Il parlait lentement et réfléchissait beaucoup avant d'émettre la moindre opinion. Était-il ton second messager ?

Quand je suis arrivé chez moi, j'étais fourbu. Je me suis étendu pour une sieste, ce que jamais je ne fais, préférant pour me reposer écrire un peu ou gribouiller quelque esquisse. Et je me suis endormi, moi, l'insomniaque de toujours. Le sommeil était-il ton troisième messager ?

J'ai fait alors un cauchemar affreux, qui me visite souvent la nuit depuis ce jour. J'étais allongé mais éveillé, et j'essayais de me lever : impossible, une paralysie générale m'avait gagné. Je déployais un effort énorme, mais mes jambes refusaient de bouger. Je voulais crier, appeler à l'aide, mais ma bouche refusait de s'ouvrir. Je compris alors que j'étais mort, que la mort c'était cela. Soudain,

Noëlle est entrée et m'a embrassé, me réveillant par ce baiser comme un chevalier une Belle au Bois dormant. Je venais de comprendre deux choses : cette mort était un mauvais rêve, et Noëlle, c'était la vie.

Oui, drôle de vie, je t'aime. Oui, chienne de mort, j'ai peur de toi. Je ne supporte pas d'attendre avant de m'endormir. Je préfère travailler jusqu'à l'épuisement ou prendre des cachets. Je ne crois pas en toi, la mort, et pourtant je te crains. Je doute qu'il y ait un « au-delà » déguisé en paradis ou en enfer. Je crois en fait à la survie, à la manière des bouddhistes qui pensent que chacun de nous dispose de sept vies, mais que nous vivons sans aucun souvenir des précédentes. J'aimerais que ma dernière vie soit une vie de peinture et de musique. Un peu comme celle que j'achève ces temps-ci... Ma vie de Serge Reggiani serait-elle la dernière ? Je serai fixé bien assez tôt.

Je ne crois pas non plus en Dieu : il est une abstraction. Toute étoile peut revendiquer le nom de Dieu.

Il faut voir Dieu descendre une ruelle morne
En sifflotant un air de rancune et d'espoir,
Et le diable rêver en aiguisant ses cornes
Que la lumière prend sa source dans le noir.

Braque est mort à quatre-vingt-un an, Picasso à quatre-vingt-douze, Chagall à quatre-vingt-dix-huit. La peinture conserverait-elle ? On appelle bien les gardiens de musées des... « conservateurs » !

Si la mort soudain surgissait et me montrait son sablier en m'indiquant qu'il me reste une heure à vivre, je sais comment je l'emploierais. Je deman-

derais à Noëlle de se tenir à mes côtés et je pein-
drais une ultime toile...

Il faut vivre, il faut peindre avec ou sans
                                          [palette
Et sculpter dans le marbre effrayant du destin
Les ailes mortes du Moulin de la Galette,
La robe de mariée où s'endort la putain.

Un jour, je reposerai sans doute au cimetière
Montparnasse, au côté de Letizia et Ferrucio, mes
parents, et de Stephan, mon fils. Voilà longtemps
qu'ils m'attendent. Ce n'est pas un cimetière bien
gai, mais cela n'aura plus guère d'importance.
Chaque soir, au cimetière de Faaa, à Tahiti, des
cierges sont allumés sur les tombes, et c'est un
champ de lumière, un morceau de voie lactée
tombé au milieu du Pacifique, comme une fête des
lucioles. Les enfants de Papeete et des environs y
viennent ramasser la cire chaude. Ils en font des
boules tièdes et molles qu'ils se lancent à la figure
en courant autour des tombes. Le cimetière devient
alors un gigantesque jardin d'enfants, plein de rires
et de cris. Il n'y a pas de neige sous ces chaudes
latitudes, mais les enfants ont quand même leurs
batailles de boules. J'aimerais bien que mon cimetière soit un lieu aussi joyeux, mais il me faudrait
traverser la planète. Et je n'ai pas, comme Jacques
Brel, le pied marin.

Il faut vivre d'amour, d'amitié, de défaites,
Donner à perte d'âme, éclater de passion
Pour que l'on puisse écrire à la fin de la fête:
« Quelque chose a changé pendant que nous
                                          [passions. »

238

Mort, je ne crois pas en toi. Je ne te prendrai pas au sérieux quand tu viendras me tirer par les pieds en me disant : « C'est l'heure. » Vie, il faudra m'arracher à toi avec des tenailles rougies, comme dans les mauvais romans.

Serge Reggiani

À Serge Reggiani

Mon cher Serge,

Je t'écris pour te raconter une bien étrange histoire.

Hier, alors que je me promenais bien tranquillement, un inconnu m'a fait signe depuis le trottoir d'en face. J'aurais dû me méfier, mais j'ai traversé et je lui ai demandé ce qu'il voulait. J'aurais dû me méfier...

Il m'a emmené au bistrot – premier indice –, mais je ne l'ai pas reconnu tout de suite. J'ai bu un Vittel fraise pendant qu'il se jetait quelques whiskies derrière la cravate en me racontant sa vie.

Et quelle vie ! Une vraie vie de fou ! Un type qui a fait l'acteur pendant plus de cinquante ans et poussé la chansonnette durant un quart de siècle. Un gars qui a quitté l'Italie tout gamin pour finir sa vie en chantant un tube qui s'appelle *l'Italien*. Un homme qui a épousé deux femmes pour vivre heureux avec une troisième, et sans se marier ! Il m'a parlé ainsi pendant des heures, me déroulant les milliers de kilomètres de films qu'il disait avoir tournés, et me décrivant par le menu les quatre cent vingt représentations d'une pièce de

241

Sartre dans laquelle il disait avoir tenu le premier rôle.

Sa vie était assez loufoque, et ses projets ne l'étaient pas moins. Figure-toi qu'à soixante-treize ans bientôt, il veut encore faire des disques et donner des récitals. Je lui ai demandé s'il ne ferait pas mieux de rentrer chez lui tranquillement et de se laisser mourir, mais il m'a répondu qu'il vivrait centenaire. Il a même dans l'idée d'écrire un livre avec des lettres, son courrier en retard si j'ai bien compris. Mais il paraît que nombre de ces lettres s'adressent à des gens qui sont morts, et d'autres à des gens qu'il voit tous les jours. Sans compter une lettre à son chat, à l'alcool, à la peinture... Curieux, non ?

À l'évidence, cet homme n'avait pas toute sa raison. Pourtant je l'ai trouvé plutôt sympathique. Humain. Il m'a dit que, s'il devait refaire sa vie, il la rebâtirait à l'identique, en ne changeant rien, pas même les erreurs. Il plongerait dans l'alcool sans remords, puisque s'abandonner à ce fléau, dit-il, est le seul moyen de s'en débarrasser une fois pour toutes. Il a fredonné pour preuve un bout de chanson :

> *Si c'était à recommencer,*
> *Je suivrais les mêmes chemins,*
> *Je manquerais les mêmes trains*
> *Sans un regret.*
> *Je ne voudrais rien effacer*
> *De mes joies, de mes solitudes*
> *À mon passé...*

J'ai trouvé qu'il ne chantait pas mal du tout, presque aussi bien que toi. Il m'a raconté ensuite le tournage, en Italie, des *Amants de Vérone*. Je n'ai pas vu ce film, mais peut-être le connais-tu? Au cours de ce tournage, il fit une escapade à Venise, chez les souffleurs de verre de Murano, et s'essaya à l'art difficile des verriers. Il voulait façonner une carafe, fine et transparente, mais il n'a pas laissé chauffer suffisamment le verre et n'a pu gonfler qu'un carafon tordu et bossu... «Ma vie est ainsi, a-t-il dit, carafon sympathique et solide, moi qui rêvais d'un cristal parfait.»

Je l'ai trouvé si émouvant, sur le trottoir, au moment des adieux, que je l'ai serré dans mes bras. Eh bien! quand j'ai rouvert les yeux après l'accolade, il n'y avait plus personne. Il s'était évanoui dans l'air. Aurais-je rêvé?

Voilà. Je crois que tu vas entreprendre un long voyage, et je voulais absolument, mon cher Serge, te raconter avant ton départ cette rencontre du troisième type. J'espère te revoir très bientôt, et t'envoie ce courrier, comme d'habitude, en poste restante.

Bien à toi,
Serge

FILMOGRAPHIE

1942   *Le Voyageur de la Toussaint* (Louis Daquin).

1943   *Le Carrefour des enfants perdus* (Léo Joannon).

1945   *François Villon* (André Zwobada).
          Étoile sans lumière (Marcel Blistene).

1946   *Les Portes de la nuit* (Marcel Carné).
          Coïncidence (Serge Debecque).

1947   *La Fleur de l'âge* (inachevé – Marcel Carné).

1948   *Le Dessous des cartes* (André Cayatte).

1949   *Les Amants de Vérone* (André Cayatte).
          Manon (Henri-Georges Clouzot).
          Retour à la vie (Jean Dréville).
          Au royaume des cieux (Julien Duvivier).
          Le Mystère de la chambre jaune (Henri Aisner).
          Le Parfum de la dame en noir (Louis Daquin).

1950   *La Ronde* (Max Ophuls).
          Les Anciens de Saint-Loup (Georges Lampin).
          Une fille à croquer (Raoul André).

1951   *The Secret People* (Thorold Dickinson).
          Les Chemises rouges (G. Alessandrini – F. Rossi).
          Casque d'or (Jacques Becker).

1952   *La Bergère et le Ramoneur* (dessin animé de Paul Grimault – voix du ramoneur).

1953   *Quelque part dans le monde.*
          Une fille dangereuse (Guido Brignone).

Les Anges déchus (Gianni Franciolini).
Un acte d'amour (Anatole Litvak).

1954   *Napoléon* (Sacha Guitry).

1955   *Les Salauds vont en enfer* (Robert Hossein).

1956   *La Fille Élisa* (Roger Richebé).
Un hectare de ciel (A. Casadio).
La Donna del giorno (Francesco Maselli).

1957   *Paris à la manière de...* (court métrage
        de Jean Thierry – commentaire).
Échec au porteur (Gilles Grangier).
Les Misérables (Jean-Paul Le Chanois).
Le Passager clandestin (Ralph Habib).
La Seine a rencontré Paris (court métrage
        de Joris Ivens – commentaire).
Quand les fleuves changent de chemin (court
        métrage de Daniel Lecomte – commentaire).

1958   *Marie-Octobre* (Julien Duvivier).

1960   *La Grande Pagaille* (Luigi Comencini).

1961   *Paris Blues* (Martin Ritt).
La Dernière Attaque (Leopoldo Savona).

1962   *Le Doulos* (Jean-Pierre Melville).
Le Guépard (Lucchino Visconti).

1963   *Aurelia ou la Descente aux enfers* (court
        métrage d'Anne Destrée).
Il Padre Selvaggio (Pier Paolo Pasolini).
Marie-Chantal contre le docteur Kah
        (Claude Chabrol).

1964   *Le Deuxième Souffle* (Jean-Pierre Melville).
L'Enfer (inachevé – Henri-Georges Clouzot).

1965   *Compartiment tueurs* (Costa Gavras).

1966   *La 25e Heure* (Henri Verneuil).
Les Aventuriers (Robert Enrico).
La mafia fait la loi (Damiano Damiani).

1969   *L'Armée des ombres* (Jean-Pierre Melville).

1971   *Comptes à rebours* (Roger Pigaut).

1972   *Trois milliards sans ascenseur* (Roger Pigaut).
        Les Caïds (Robert Enrico).

1973   *Touche pas à la femme blanche* (Marco Ferreri).

1974   *Vincent, François, Paul et les autres*
        (Claude Sautet).

1975   *Le Chat et la Souris* (Claude Lelouch).
        Les Bons et les Méchants (Claude Lelouch).

1976   *Une fille cousue de fil blanc* (Michel Lang).
        Violette et François (Jacques Rouffio).

1979   *La Terrasse* (Ettore Scola).
        Fantastica (Gilles Carle).
        L'Empreinte des géants (Robert Enrico).

1986   *L'Apiculteur* (Theo Angelopoulos).
        Mauvais Sang (Leos Carax).

1988   *Coupe franche* (Jean-Pierre Saune).
        Ne réveillez pas un flic qui dort (José Pinheiro).
        Il y a des jours… et des lunes (Claude Lelouch).

1989   *Plein fer* (Josée Dayan).

1990   *J'ai engagé un tueur* (Aki Kaurismaki).

1991   *De force avec d'autres* (Simon Reggiani).

1992   *Émile des roses* (Radu Gabréa).

1994   *Le Petit Garçon* (Pierre Granier-Deferre).

DISCOGRAPHIE

1966 **Serge Reggiani chante Boris Vian.**
Arthur – Le régiment des mal-aimés – Valse dingue – Je bois – Sermonette – Sans blague – J'ai pas d'regrets – Fugue – Le déserteur – De velours et de soie – Dernière valse – Que tu es impatiente, la mort.
(Disques Jacques Canetti 48 811.)

1967 **Album n° 2.**
Les loups sont entrés dans Paris – La vie c'est comme une dent – Sarah – Maxim's – Ma solitude – Fleurs de méninges – Le petit garçon – Quand j'aurai du vent dans mon crâne – Ma liberté – Paris ma rose – L'hôtel des rendez-moi ça – Le déserteur.
(Disques Jacques Canetti 48 819.)

1968 **Et puis...**
Et puis – L'homme fossile – La vieille – Votre fille a vingt ans – Dessin dans le ciel – L'enfant et l'avion – Les affreux – Madame Nostalgie – La java des bombes atomiques – La maumariée – Moi j'ai le temps – La dame de Bordeaux – Il suffirait de presque rien. *(Polydor 2401 170.)*

1970 **Je voudrais pas crever.**
Je voudrais pas crever – Tes gestes – Un siècle après – L'arrière-saison – L'arbre – Requiem pour n'importe qui – De quelles Amériques – Gabrielle – Ballade pour un traître – Bonne figure – Le Vénusien – La neige.
(Polydor 2401 171.)

1971 Rupture.
Rupture – L'absence – La putain – Comme elle est longue à mourir, ma jeunesse – Va-t-en savoir pourquoi – Ma fille – Dans ses yeux... – L'Italien – Edith – La cinquantaine.
(Polydor 2393 026.)

1972 Le vieux couple.
Le vieux couple – Hôtel des voyageurs – La maison qui n'existe plus – Le grand couteau – Contre vents et marées – Le pont Mirabeau – Le premier amour du monde – Les mensonges d'un père à son fils – Mathusalem – C'est comme quand la mer se retire – Les fruits de mer – Ce n'est pas moi qui chante.
(Polydor 2393 057.)

1973 L'Arabe.
L'Arabe – Le déjeuner de soleil – L'an mil neuf cent soixante et huit – T'as l'air d'une chanson – Pericolo sporgersi – Villejuif – Le monsieur qui passe – La pause tendresse – Tu vivras tant qu'on t'aimera – Un menuisier dansait - Ce soir mon amour. *(Polydor 2401 103.)*

1974 Spécial poètes n° 1.
Tentative de description d'un dîner de têtes à Paris-France – Chanson de Maglia – Le balcon – Tant bien que mal – Au lecteur – Si l'on gardait – La mort des amants – Linothanie – Sous le pont Mirabeau. *(Polydor 2473 027.)*

**1974 Paroles de Jacques Prévert
(poètes 2 et 3).**
Disque 1 : L'effort humain – Rue de Seine – La Cène – Cet amour – Pour faire le portrait d'un oiseau – Compagnons des mauvais jours – Déjeuner du matin – Et la fête continue – Il ne faut pas – Le contrôleur – Pour toi mon amour – Fleurs et couronnes – Le cancre – L'orgue

de barbarie – Pater Noster – Quartier libre – Barbara – Le retour au pays – Cortège – Le miroir brisé. Disque 2 : La crosse en l'air.
(Polydor 2675 096.)

1975 **La chanson de Paul.**
La chanson de Paul – Journal – Si tu me payes un verre – Le souffleur – Remboursez – J'suis pas chauvin – 1901 – Le vieux costume – Le vieux singe – Rue du rêve – Quand la guerre sera finie – Les vieux gamins.
(Polydor 2393 126.)

1975 **Serge et Stephan Reggiani en scène.**
Hôtel des voyageurs – Le déjeuner de soleil – Arlequin assassiné – L'idiot – Il ne faut pas – La java des bombes atomiques – Salut rigolo – La déprime – Titannick – La putain – Dis-moi un peu où tu m'emmènes – Je vous déteste – Enivrez-vous – Madame Nostalgie – Le souffleur – Le monsieur qui passe – Dessin dans le ciel – L'Italien – Ma liberté. *(Enregistrement public à Bobino, Polydor 2473 048.)*

1977 **Venise n'est pas en Italie.**
Venise n'est pas en Italie – Le barbier de Belleville – Il ne faudra jamais – Ma dernière volonté – La tarte à la crème – Cet amour – Si c'était à recommencer – Le grand cirque – Le bouquet de fleurs – Le tango de la mélancolie – La ville de joie – Du whisky au vichy.
(Polydor 2473 064.)

1978 **Les discours
de Maximilien Robespierre.**
Disque 1 : Discours sur la nécessité de révoquer le décret sur le Marc d'Argent, 11 août 1791. Disque 2 : Extrait du discours dit du Testament, 8 Thermidor An II.
(Double album, Polydor 2669 044.)

1979 J't'aimerais.
J't'aimerais – C'est là – Couleur de colère – La table – Les seigneurs – Un homme sur un toit – L'hier, l'aujourd'hui, le demain – La honte de pleurer – La vie est vraiment très bien faite – Les amours sans importance – La longue attente. (*Polydor 2473 100.*)

1980 Cocteau / Baudelaire (Poètes 4).
Face A : Cocteau : Un ami dort – Visite. *Face B :* Baudelaire : L'albatros – À une passante – Le mort joyeux – Enivrez-vous – Les bijoux – L'étranger – La mort des pauvres – Les bienfaits de la lune – La mort des artistes. (*Polydor 2473 121.*)

1981 L'Armée du brouillard.
L'armée du brouillard – La Loire – Nos copines – La barbe à papa – Est-ce que c'est mal d'être bien ? – Soliloque pour trois enfants – Une écharde au cœur – La vieillesse – Le petit dernier de la classe – L'exilé. (*Polydor 2393 283.*)

1982 Le zouave du pont de l'Alma.
Le zouave du pont de l'Alma – Les objets perdus – On s'aime – La complainte du tabac – Primevère – Le monde est formidable – Plus de musique en 2903 – Les bienfaits de la lune – Maudite enfant – L'ogre – Linothanie – Le boulevard du crime – Poubelle. (*Polydor 2393 324.*)

1983 À l'Olympia.
L'Italien – Hôtel des voyageurs – L'homme fossile – Ma liberté – Le déserteur – Le souffleur – Le zouave du pont de l'Alma – Ma dernière volonté – La java des bombes atomiques – Il suffirait de presque rien – Sarah – Sous le pont Mirabeau – Et puis / Arlequin assassiné – Les objets perdus – Dessin dans le ciel – Venise n'est

pas en Italie – Enivrez-vous – Madame Nostalgie
– Pater Noster – Maxim's – Votre fille a vingt ans
– Le monsieur qui passe – Le barbier de Belleville – Les loups sont entrés dans Paris – Le petit
garçon. (*Double album, Polydor 813 187-1.*)

1983 *L'Étranger* **d'Albert Camus (extraits).**
Découpage, illustration sonore, réalisation :
Jacques Bedos – Musique originale : Jean-Claude
Dequéant (*Double album, Polydor 813 320-1.*)

1984 **Elle veut.**
Elle veut – Le mec odieux – C'est après que ça
se passe – Trop tard – Le moulin du temps –
Théorème – Passable – Le boulevard Aragon –
Meurtre au Night Blues. (*Polydor 823 805.*)

1988 **Reggiani 89.**
Pablo – Charlie – Adèle – Jean-Baptiste –
Camille – Noëlle – Maximilien – Michèle – Serge
– Les petits destins. (*Tréma CD 710 272.*)

1990 **Reggiani 91.**
Alphabet – La première peine – Et moi je peins
ma vie – Cyrano – La maison du solitaire – Pierrot l'esbrouffe – Paganini – Les coulisses de la
gloire – C'est marrant comme tout – Vingt ans.
(*Tréma CD 710 335.*)

1992 **70 balais.**
Quand je serai vieux, j's'rai chanteur – Paris a
rencontré la Seine – Ciné cinéma – Des souve-
nirs de l'avenir – Dieu me garde de mes amis –
Le monde en récompense – Soixante-dix balais
– Letizia – Ils grimpaient – Le temps perdu –
Gladys – Il faut vivre... (*Tréma CD 710 410.*)

1993 **Palais des Congrès.**
L'Italien – Soixante-dix balais – L'Homme fossile
– Ma liberté – Le dormeur du val – Le déserteur

– Et moi je peins ma vie – La java des bombes atomiques – Il suffirait de presque rien – Sarah – L'arlequin assassiné – Charlie – Ciné cinéma – Ma fille – Il faut vivre – Venise n'est pas en Italie – Noëlle – Letizia – Dessin dans le ciel – Maxim's – Serge – Le barbier de Belleville – Les loups sont entrés dans Paris – Le petit garçon – Quand je serai vieux, j's'rai chanteur.
(Enregistrement public, Tréma CD 710 429.)

1995 Reggiani 95.
Petite fille aux yeux si grands – Au bar de l'arbre sec – Le lit de Madame – Au numéro 103 – Le 421 – La cour des mirages – Lettre à Olivier – Les carabiniers – Amour sépia – Canard boiteux – Monsieur Baudelaire – La vie, Madame.
(Tréma CD 710 479.)

L'œuvre discographique de Serge Reggiani enregistrée chez Polydor a été rassemblé en deux coffrets : 8 CD pour les chansons (incluant les enregistrements publics à Bobino en 1975 et 1977), et 5 CD de textes et poèmes.

Les extraits de chansons figurant dans le livre sont reproduits avec l'aimable autorisation des auteurs, compositeurs et éditeurs suivants :

p. 15-23   *Letizia*
(Claude Lemesle – Serge Reggiani /
    Alain Goraguer)
© Éd. Art Music France

p. 21   *Le Barbier de Belleville*
(Claude Lemesle / Alice Dona)
© Éd. Plein Soleil – Music 18

p. 25   *L'Italien*
(Jean-Loup Dabadie / Jacques Datin)
© Éd. Bagatelle

p. 49   *La Vieillesse*
(Georges Moustaki)
© Éd. Paille Music

p. 59-60   *Paris ma rose*
(Henri Gougaud)

p. 62   *Le Souffleur*
(Claude Lemesle / Alain Goraguer)
© Éd. Music 18

p. 125-126   *Edith*
(Jean Dréjac – Michel Legrand)
© Éd. Legrand

p. 161   *La vie c'est comme une dent*
(Boris Vian – Jean-Jacques Robert)
© Éd. Majestic

p. 164-165   *Le Plat Pays*
(Jacques Brel)
© Éd. S.E.M.I. et Pouchenel

Table

BIBLIOTHÈQUE PUBLIQUE
NOTRE-DAME DE L'ILE PERROT

014946

*Cet ouvrage composé
par D.V. Arts Graphiques 28700 Francourville
a été achevé d'imprimer sur presse Cameron
dans les ateliers de Brodard et Taupin
à La Flèche (Sarthe)
en mars 1995
pour le compte des Éditions de l'Archipel*

Imprimé en France
N° d'édition : 99 – N° d'impression : 1826 L-5
Dépôt légal : mars 1995